a
庫

二人だけの牢獄

富樫聖夜

イースト・プレス

contents

プロローグ　005

第一章　王女と宰相　014

第二章　王女と教育係　029

第三章　脅迫　079

第四章　混迷　128

第五章　王女の選択　184

第六章　女王として　218

第七章　危機　244

エピローグ　299

あとがき　317

プロローグ

　オクロット国の王女フィオーナは寝支度《ねじたく》を整えている侍女《じじょ》のレノアが気もそぞろなのに気づいて声をかけた。

「レノア、もういいわ。あとは自分でやるから。あなたは下がりなさい」

　すると、フィオーナの髪を梳《と》かしていたレノアは手を止めて、おずおずと尋ねた。

「い、いいんですか、姫様？」

　レノアにはごく最近、城内に恋人ができたらしい。そのためかここ半月ばかり仕事に身が入っていない様子だった。遅刻してきたり、終業時間が近づくとソワソワとして仕事がなおざりになったりと。

　レノアの先輩にあたる第一侍女のアーニャなどは眉を顰《ひそ》めているが、とある理由もあってフィオーナは彼女を咎《とが》めようとは思わなかった。

「構わないわ。下がりなさい」

そう微笑みながら告げると、レノアはパッと顔を輝かせた。

「ありがとうございます、姫様！　やっぱり姫様はお優しくていらっしゃいますね。私、姫様の侍女でよかったです」

その言葉にフィオーナは内心苦笑した。

「……恋人が待っているのでしょう？　早く行ってあげるといいわ」

「はい！　それではお休みなさいませ。姫様」

頭を下げて挨拶《あいさつ》をすると、レノアは軽い足取りで部屋から退出していった。

微笑を顔に張り付けてその姿を見送っていたフィオーナは、扉が閉まると同時に笑みを消した。

――お優しくていらっしゃいますね。

レノアの言葉に苦い思いが胸に落ちてくる。

「……いいえ、違うわ、レノア。私は優しくなんかない。……ただ愚かなだけ」

ぽつりと呟くと、静まり返った部屋にその声はやけに大きく響いた。

その重苦しい気持ちを頭を振って取り払うと、フィオーナは手を伸ばして鏡台《きょうだい》の抽斗《ひきだし》の中から豪華な装飾の施された小さな宝石箱を取り出した。二年前の誕生祝いに父王から贈られたものの一つで、中は二重底になっている。

フィオーナは蓋《ふた》を開け、ベルベットの中蓋の下から宝石にまぎれこませて隠していた白い小さな紙の包みを一つだけ取り出した。その後は手早く宝石箱を元に戻して抽斗に仕舞うと、ベッド脇《わき》にあるサイドテーブルに向かった。

テーブルに用意されていた水差しからコップに水を注いだフィオーナは、持っていた白い紙をそっと開く。折りたたまれた紙に包まれていたのは、フィオーナのためだけに処方された薬だった。その白い粉をしばらく複雑な思いでじっと見下ろしていたフィオーナは、覚悟を決めたようにぎゅっと眉を寄せ、それを口に運んだ。

舌が薬に触れたとたん、苦味が口の中に広がった。フィオーナは水を含みその薬を喉の奥に押し流す。嚥下《えんか》する時に感じた苦さは、きっと薬の味だけではないだろう。

自分を守るために必要なことではあるが、何度この儀式を繰り返しても慣れることはなかった。

フィオーナはふぅと息を吐くと、サイドテーブルのランプに手を伸ばした。

本来であればこのまま灯《あか》りを消してベッドに入るはずだった。侍女のレノアはフィオーナはまさしくそうしていると思っているだろう。けれどフィオーナはランプを手にすると、部屋の隅の壁に埋め込まれていた大きな姿見の方へ歩いていった。

豪奢《ごうしゃ》な彫刻《ちょうこく》で飾られた姿見の前に立つと、ランプの灯りに照らされたフィオーナの姿が映し出される。腰まであるまっすぐな艶《つや》のある黒髪。薄暗い中では宵闇《よいやみ》色のように見える瞳は、明るい日の光のもとでは鮮やかな翠色に輝き、高価なエメラルドのようだと称えられている。

細い鼻梁《びりょう》に、ふっくらとした唇。長い睫《まつ》毛《げ》が陰影を落とす頬のラインは滑《なめ》らかで、シミ一つ存在しない。繊細なレースで作られた白い夜着は淡く輝き、丸みを帯《お》びた娘らしい肢《し》体《たい》を浮かび上がらせている。薄ぼんやりとした光の中でも、姿見は故王妃譲りの清楚《せいそ》な美しさを、余すところなく映し出していた。

けれど、フィオーナの関心もその視線も、鏡に映った己にはなかった。彼女が見ていたのは、鏡を縁取《ふちど》る薔薇《ばら》をモチーフにした彫刻だった。

フィオーナはおもむろに手を伸ばすと、その白い指先で薔薇の彫刻の中心に触れた。すると花びらの一枚がかすかに奥に沈んだ。続いてフィオーナはまた別の場所の、今度は蕾《つぼみ》の彫刻に触れた。また一箇所が奥に動く。それからまた違う場所の薔薇の花びらに触れる。次から次へとフィオーナは彫刻に触っていくが、その動きには規則性がないように見えた。けれど慣れたしぐさで触れる彼女の手には迷いがない。

そうして何箇所目かの彫刻に触れた時、静まり返った部屋にカチッという音が響いた。フィオーナは手を止めると、数歩だけ後ろに下がる。すると、姿見の右側が壁から離れ、きぃというかすかな音を立てながらまるで扉のように静かに開いていった。

やがて、鏡の向こう側に現れたのは、人一人がようやく通れるほどの狭い通路だった。

フィオーナはランプを手に、その隠された通路の中に足を踏み入れる。姿見の内側は扉になっていて、取手と閂《かんぬき》があり、簡単に施錠《せじょう》も開錠もできるようになっていた。隠し扉のことを知られないように通路側から扉を閉めた後、フィオーナはヒンヤリとした暗い通路の中をランプの光だけを頼りに足を進めた。

王族のみが知るその秘密の通路は、迷路のように入り組んでいる。王族が城のどこにいてもすぐに避難できるようにするため、あちこちに道が張り巡らされているためだ。間違った道を行けば、とんでもないところに出てしまう可能性もあった。

フィオーナは迷うことなく目的地に向かって進む。通い慣れた道だ。すでに身体が覚えていて、道を失うことはなかった。

けれど、目的の部屋が近づくにつれてフィオーナの足取りは彼女の心を反映して、どんどん重くなっていく。けれどそんな心とは裏腹に、一歩進むたびに彼女の身体は別の反応を示していた。胸の先が尖《とが》り、薄手の夜着の胸元を押し上げている。

目的の扉の前でそのことに気づき、フィオーナは己を恥じた。

――なんて淫らで、愚かなのだろう、私は。

「契約を果たしているに過ぎないのに……」

呟く声は小さく、自分の耳にすら頼りなく届いた。

この扉の向こうにいる人物にとって、フィオーナは何の意味もない存在だ。仕《つか》えるに足らない人間だからこそ、唯一彼女から得られるものを要求しているだけ。

それが分かっているのに、なんて自分は愚かなのだろう。この関係の先に未来はないというのに。

フィオーナは震えるように息を吐くと、覚悟を決めて、閂を外す。それから扉の取手に手をかけて押し開けた。

ギギギと軋《きし》んだ音を立てて、秘密の通路を隠している姿見が開いていく。できた隙間《すきま》からそっと身を滑らせてその部屋に一歩入ったフィオーナは、すぐに目に飛び込んできたものにハッと息を呑《の》んだ。

部屋の主は窓の近くに佇《たたず》んで、外を眺めていた。窓から差し込む月の光が彼の青銀の髪と白いシャツを淡く照らし出している。こちらから見えるのは、高い鼻梁《びりょう》が絶妙な陰影を描く端整な横顔だけだ。

表情がないせいかその彫刻めいた美貌《びぼう》はひどく冷酷に見えた。けれど、彼がフィオーナに気づいて振り返ったとたん、その表情から冷ややかさが消えた。

「いらっしゃいませ、王女様」

顔には謎《なぞ》めいた微笑が浮かび、華やかで魅惑《みわく》的になった。あまたの女性をその美しさで魅了し破滅に導くという夜の神ニュクスのようだ。

フィオーナが今の自分の状況も忘れて思わずぼうっと見とれていると、男はますます笑みを深くした。

「昼の光の中で見るあなたも美しいが、夜のあなたは更にお美しい。私が長い昼の間、どんなに夜を待ち焦がれていたかあなたには分からないでしょうね、王女様」

それから彼はスッとフィオーナに手を差し出し、笑みを浮かべたまま口調を一変させた。

「こちらへ来なさい。フィオーナ」

つい今しがたまで「王女様」と恭しく呼びかけていたその声に、支配的な響きが宿る。今や立場が完全に逆転していた。けれど、フィオーナの足はその言葉に従い、まるで光に吸い寄せられる蛾《が》のようにフラフラと一歩、また一歩と男に近づいていく。

これはこの国のために必要なことだった。王女として、フィオーナは彼と交わした約束を果たさなければならない。

そう自分に言い訳をしながら、フィオーナは男――アルヴァンの前に立つと、差し出されたその手に、自分の手を重ねた。

「優しく、そして慈悲深きフィオーナ。今夜もあなたは汚されるのですよ。憎い私の手によって――」

男の囁《ささや》きに、フィオーナの身体に震えが走る。けれど、それは恐れからなのか、期待からなのか自分でもよく分からなくなっていた。

「震えていますね。怖いですか？　それとも寒い？　……いいえ、違いますね。あなたの身体はこんなにも正直だ」

「……ふぁっ……」

愉悦《ゆえつ》を含んだ声と共に突然、夜着を押し上げている胸の先をキュッとつままれてフィオーナは息を呑んだ。

「自分でも分かるでしょう？　膨《ふく》らんで、尖っていますよ、ここ」

「や、あ、っ、ん、くぅ……」

ぐりぐりと服越しに弄られて、引き結んだ唇から喘《あえ》ぎ声が漏れた。身体が小刻みに震え、足に力が入らなくなっていく。無意識のうちに彼の手に縋《すが》っていたフィオーナの頭上からおかしそうに笑う男の声が降ってくる。

「清楚な王女様が、触れられてもいないうちからここをこんなに尖らせて、男のもとを訪れるくらい淫乱であるなどと、一体誰が思うでしょう」

揶揄《やゆ》するような口調にフィオーナの頬が赤く染まった。恥ずかしくもあり、悔しくもあった。誰のせいだと思っているのだろう。

けれど抗議の声は、休むことなくフィオーナの胸の尖りを刺激し続ける手に翻弄《ほんろう》されて、彼女の口からあがることはなかった。

「ん、んっ、あ、んんっ、やぁ……」

「いい声で啼きますね。昼間と違って今は声をいくら出しても平気ですよ。人払いをしてありますし、もし万が一聞かれても、誰があなただと思うでしょう」

男はクスクスと笑う。

「我らの麗しの王女様が毎晩のように抱かれるためだけに男の部屋を訪れているなんて、ね」

「……や、あ、い、言わないでっ」

フィオーナの目に涙が滲《にじ》んだ。恥ずかしくて、悲しくて、苦しかった。できることなら今すぐここから安全な自分の部屋に逃げ帰りたいくらいだ。

けれど、フィオーナはそうしなかった。したくてもできなかった。

――なぜなら、彼女は契約の証として自ら男に身体を差し出したからだ。

その時不意に男の手がフィオーナの胸から離れた。けれどさんざん弄られた胸の先端はジンジンと疼《うず》き、もう触れられていないのに、痺《しび》れるような快感を身体に刻み続けている。

「さぁ、フィオーナ。ベッドに行きましょう。今夜もまた、気が狂うくらいにあなたを犯してあげますよ」

「……はい」

男の言葉に、フィオーナは目を閉じて身体を預けた。その身体はこれから彼に与えられる悦楽を期待して小さく震えている。

――この腕の中は男が作り出した甘い牢獄《ろうごく》。

フィオーナはそこに縛られ、囚《とら》われ続ける、哀れな虜囚《りょしゅう》だった。

第一章　王女と宰相

「お父様、もう召し上がらないのですか？」

オクロット国の第一王女、フィオーナ・オクロットはテーブルを挟んで向かい側に座る父王に気遣わしげな視線を向けた。

父王の皿にはまだ多くの料理が残っていた。なのに、彼は手にしていたカトラリーを置き、傍に控えていた侍従に下げるように示したのだ。

「ああ。最近は、朝はあまり食欲が湧かなくてな……」

父王は苦笑を浮かべ、目の前にあったグラスを手にしてぐいっと飲み干す。水かと思っていたそれがワインであることに気づいてフィオーナはその柳眉《りゅうび》をぐっと寄せた。

一年前までは、朝からアルコールを口にすることなどなかったのに……。

けれど、侍従の話だと最近はよく昼食の場でもワインを口にしているらしい。これも以前にはなかったことだ。

「お父様、朝からお酒は控えた方が……。主治医から、お酒はアルヴァンが処方してくれた薬の効果を薄めてしまうと聞きました」

フィオーナが心配そうに言うと、父王はバツの悪い顔をした。その表情にピンときたフィオーナは顔を顰《しか》める。

「お父様、またお薬を飲んでいないのですね？　毎日朝に飲まないといけないと言われているのに。喘息で苦しい思いをするのはお父様なのですよ？」

「分かっている。だが……今日はつい忘れてしまっただけだ」

言い訳するような口調に、フィオーナは傍に控えている侍従長にちらっと視線を向ける。長年父王に仕えてきたその壮年の男性はフィオーナの訊きたいことに気づき、かすかに頭を横に振った。

どうやら薬を飲み忘れたのは今日だけではないようだ。

父王は喘息持ちで、幼い頃からしばしば起こる発作に長年苦しんできた。しかし北方の国に留学し、最先端の薬学を学んできたアルヴァン・レイディス侯爵が発作を抑える薬を特別に処方してくれるようになってから、まるで今までが嘘のようにその発作が治まったのだ。

彼によると薬の効果は毎日飲まなければ持続しないらしい。定期的にフィオーナのもとに届けられるその薬を侍従に渡す時、彼女はいつもきちんと飲ませるようにと念を押し、また本人にも度々言っているのだが、最近の父王は自分の健康にすら興味をなくし、いい加減になっているようだ。

フィオーナは物思わしげに父王を見つめた。

最近の彼はいつも疲憊《ひはい》しているように見えた。仕事はほとんど宰相のアルヴァンにまかせっきりらしい。外国の要人と面会するなど、国王がやらなければならないことはかろうじてこなしているものの、必要最低限の政務しか執《と》らず、ずっと部屋に引きこもっているようだった。

フィオーナの母である故王妃が健在だった頃からの習慣になっている、家族だけでとる朝晩の食事の時間は、こうして変わらず過ごしてはいるが……。

今の彼は、唯一の家族であり娘であるフィオーナ以外に対する興味をすべてなくしているかのように見えた。そんな父親の変化に、フィオーナは不安を隠せなかった。

……でも、ずっと以前からその兆候《ちょうこう》はあったのだ。前宰相が病を理由に息子のアルヴァンに侯爵の爵位と宰相の地位を譲り渡す、その前から。フィオーナの母親である王妃を亡くした時から。

父王は徐々に政治への熱意を失い、大国の顔色を窺《うかが》いながらこの小さな国を維持していくことに……おそらく疲れ果ててしまったのだ。彼をかろうじて玉座に繋《つな》ぎとめているのは、跡を継ぐことになるフィオーナへの愛情と憐憫《れんびん》だ。女性であり、まだ十九歳という若さの娘を案じてのことなのだ。

——なぜ私は男ではないのかしら？

今まで何百回と繰り返した問いを再び自分に向ける。

男であれば多少若くても父王の助けとなれただろう。少なくとも心の支えにはなれたに違いない。けれどフィオーナは女性で、父親の助けになるどころか結婚相手のことでよけいな負担をかけている。

女だとしても、せめて王位を継がせても問題ないと父が安心できるくらいに、優秀であればよかったのに。

――そう、あの有能なアルヴァンの半分でも、自分がしっかりしていたら……。

そう思った時だった。侍従長が父王のもとへスッと近づき、訪問者がいることを告げた。

「陛下。宰相閣下がいらしていますが……」

宰相と聞いてフィオーナはドキッとした。

「宰相が？　朝から熱心なことだな」

父王は目を瞠《みは》って言うと、鷹揚《おうよう》に頷いた。

「構わない。通しなさい」

「はい」

しばらくすると、侍従長が開けた扉から、書類を手にした一人の若い男性が入ってきた。

「おはようございます、陛下。おくつろぎのところを申し訳ありません」

青銀の髪を持つその男性はにこやかに挨拶をしながらまっすぐ父王のもとへ向かっていく。けれど途中、ふとフィオーナに顔を向け目が合うと足を止めた。フィオーナの心臓が急に早駆けを始める。

「おはようございます。王女様」

「お、おはようございます。アルヴァン」

何とか顔に笑みを張り付けてフィオーナは挨拶を返したが、すぐに視線を外して俯《うつむ》いてしまう。失礼だとは思ったが、恥ずかしくて顔を見られなかった。

アルヴァンはしばらく下を向いたままのフィオーナを見つめていたようだが、やがて目をそらすとそのまま国王のもとへ向かった。

「こんな朝からどうしたのだ、アルヴァン？」

「先日の議会で決まった運河建設の予算や計画の概要があがってまいりましたので、陛下にすぐにお目通ししていただきたいと思いまして」

「わざわざこんな時間に？」

「この運河建設は急務ですからね。陛下に許可をいただき次第、すぐにでも始めたいと思っております」

二人の話を聞きながら、フィオーナは顔をあげてそっとアルヴァンの様子を窺った。

いつ見ても綺麗な男性だと感嘆する。男性にしては整いすぎた顔立ちを、銀に青を溶かしたような不思議な色合いの髪が縁取っている。瞳はまるでアメジストをはめ込んだような紫色で、華やかな容貌に更に色を添えていた。

彼こそが「オクロットにこの人あり」と謳われている、この国の宰相を務めるアルヴァ

ン・レイディス侯爵だ。

前宰相である彼の父親が病を理由に役職を退く時に、自分の後任として指名したのが、留学から帰ってきたばかりの彼だった。当時、彼はまだ二十五歳という若さだった。

小さな頃から神童と謳《うた》われ、留学先では政治学の他に薬学も修めたほど優秀らしいが、政治家としては経験もない若造に過ぎない――そんなふうにアルヴァンを侮《あなど》っていた貴族たちは、すぐにその認識を改めることになった。

彼は身分にこだわらず、若く優秀な者たちを集めて自分の側近に据えると、次から次へと改革を推し進めていった。時に強引なまでの手段を用いて。

これといった産業のなかったこの国に、宝飾品の加工技術をもたらしたのも彼だ。北方から技術者を招いて、その加工技術を取り入れた。これにより、硬くて手を加えることができずゴミ同然だった鉱石を、価値の高い宝飾品として加工できるようになったのだ。

加工技術は市場と流通を生み、一気にオクロットの主要な産業となった。おかげで国の経済力が増し、国民の生活水準も国力もあがった。

またアルヴァンは、不利な条件で結ばされていたシュバール国との関税の見直しを行い、その交渉の場でオクロットに有利な条件をも勝ち取った。今まで誰も成し得なかったことだった。

これには彼を侮っていた貴族たちも考えを改めざるを得なかったようで、未だに反発はあるものの、概《おお》ね重鎮《じゅうちん》たちや議会もアルヴァンを認めるようになっていた。

——たった一年半で、彼はオクロットを変えたのだ。

フィオーナは彼が宰相の座についてからの活躍を陰《かげ》からずっとつぶさに見ていた。彼ならきっと宰相の名に恥じない働きをすると分かっていたからだ。

「わざわざ私に見せずともよい。そなたに任せておけば問題ないことは分かっているからな」

父王のそんな言葉が聞こえてきて、フィオーナはハッとした。

「陛下」

アルヴァンは眉をぐっと顰める。

「陛下の名前で行う事業です。一通り目を通していただかなければ」

そう諭《さと》す声にやや非難の響きがあるように聞こえたのは、きっとフィオーナの気のせいではないだろう。それに気づいているのか、それともどうでもいいと思っているのか、父王は億劫《おっくう》そうに手を振って一蹴《いっしゅう》した。

「見なくとも建設の許可は出す。そなたが良いと判断するものを私が改めて見ても時間の無駄になるだけだ」

「ですが……」

「お父様。せめて予算の概算と、工期の部分だけでも目を通してあげていただけませんか？」

見兼ねてフィオーナはつい口を挟んだ。父王と、アルヴァンの紫色の瞳がフィオーナに向けられる。よけいなことだったかと気後れしながらもフィオーナは何とか言葉を続けた。

「う、運河建設はお父様の名前で行う事業ですもの。議会で話題にあがった時にお父様がまったく知らないのでは、何か問題があったのではと思われてしまいます」

「うむ、それは困るな。分かった、目を通すとしよう」

父王が頷くと、アルヴァンはホッとしたように表情を緩めて、書類を手渡した。

「ありがとうございます。こちらです」

それからフィオーナに小さな笑みを向けてきた。

「王女様も、お口添えいただきありがとうございます」

「い、いいえ。差し出がましいことを……」

フィオーナはアルヴァンから目をそらすと、慌てて立ち上がった。

「これから孤児院を訪問する予定になっておりますので、支度をしますわ。お父様、アルヴァン、お先に失礼します」

「おお、そうか。気をつけて行って来なさい」

紙の束から顔をあげて、父王が微笑む。そこには先ほどアルヴァンと書類について話をしていた時のような、物憂《ものう》げな様子はない。

そのことに苦い思いを抱きながら、フィオーナはドレスをつまんで礼を取った。

「それでは失礼いたします」

「……行ってらっしゃいませ、王女様」

その言葉を背に、フィオーナは部屋を後にした。

扉の向こうに消えるまで、ずっと彼女の姿を追う瞳があることに、彼女は気づくことはなかった。

＊＊＊

「フィオーナはますます美しくなっているな。日々亡き王妃そっくりになっていく」

フィオーナの姿が消えると、王はポツリと呟いた。

アルヴァンは視線を扉から王へと戻し、頷きながら感情を込めずに淡々とした口調で答える。

「そうですね。私は当時社交界に出入りし始めたばかりの子どもでしたが、亡き王妃様のことは覚えています。優しい面差しの美しい方でした」

「ああ、王妃は優しく慈悲深く、そしてとても繊細だった。あの子もそうだ。だから、私が守ってやらねばならん」

「陛下……」

アルヴァンはため息混じりに主君に問いかけた。

「一体陛下は王女様に何をお望みなのですか？」

「幸せになることをだ」

王は即答した。

「あの子が幸せになることを何よりも望んでいる。そのためにそなたを宰相の地位につけ、誰よりもあの子を幸せにできそうな相手を選ぶ。オクロットのことは二の次だ」

「陛下……」

顔を顰めるアルヴァンに王は笑ってみせた。

「そなたやそなたの父は私のことを王には相応しくない腑抜《ふぬ》けだと思うだろうな。国より娘を取ると公言しているのだから。だが、私は娘のためなら、民に暗君《あんくん》と呼ばれても構わない」

「それは……」

「案ずるな。そうならないように国はそなたらに任せている。だが娘のことだけは……」

王は急に言葉を詰まらせた。

「どうかなさいましたか、陛下……？」

アルヴァンが怪訝そうに声をかけると、しばらくじっと机の上を見ていた王は顔をあげて言った。

「とにかく、フィオーナのことで引く気はない。それが言いたかっただけだ。この書類は目を通しておく。そなたも忙しかろう。いいから戻りなさい」

命令され、更に手で追い払われてはさすがのアルヴァンも引かざるをえなかった。

「……それでは失礼します」

頭を下げながらもアルヴァンの鋭い目は王の様子をつぶさに観察する。王の顔色は悪く、額にはじっとりと脂汗《あぶらあせ》が浮いていた。素早く傍に控えている侍従長に視線を向けると、彼は顔をこわばらせてわずかに首を横に振った。

アルヴァンは視線を王に戻し、声を落として言った。

「僭越《せんえつ》ながら申し上げます。早急に主治医を呼んで検査をなさった方がよろしいかと」

「いらぬ。早く去れ」

「……分かりました」

アルヴァンは小さくため息をつくと、それ以上食い下がることもなく、命令に従い扉の方に向かう。しかしその背中に声をかけたのは王の方だった。

「他言は無用だ」

アルヴァンは振り返って頷いた。

「御意《ぎょい》にございます」

それから再び歩き出す。

――王や侍従長に背を向けた彼のその顔に、笑みが浮かんでいることに気づいた者はいなかった。

王はアルヴァンが退出するや否や胸に手を当てた。その顔は苦痛に歪《ゆが》んでいた。

「陛下！」

　侍従長が慌てて駆け寄る。

「やはり主治医を呼んでまいります……！」

　けれど、胸から手を離した王は首を横に振った。その顔は先ほどよりは血色がよくなっているようだった。

「いらぬ！　もう平気だ。必要ない」

「しかし……」

「私が必要ないと言っている」

「は、はい……」

　しぶしぶ侍従長が引き下がると、王は胸から手を離し椅子の背もたれに背中を預けながら深い息を吐いた。そうやって何度か呼吸を繰り返している間にその表情から苦痛の色は去り、乱れていた息もだいぶ落ち着いてきたようだった。

　王は身を起こすと、テーブルに置いた書類を見つめ、それからアルヴァンが出て行った扉に視線を向けて鼻を鳴らした。

「青二才が……」

　けれどその口調に悪意はなく、羨望《せんぼう》と賞賛と、そしてどこか親しみさえ込められていた。

「たった一年半でまさかここまで結果を出すとはな。すっかり議会を牛耳《ぎゅうじ》りおって。前宰相が自慢の息子と言うのも分かる」

侍従長が口を挟む。

「宰相として才のあるお方です。国を託すのにこれほど相応しい人物もいないと思うのですが……」

「王妃が生きていれば……いや、十年前だったら間違いなく、あやつを娘の結婚相手に選んでいただろうな。だがそれではあの子は私と同じ苦労をしなければならない。いや、女王ということでもっと辛い思いをすることになるだろう」

王は首を横に振った。

「……娘にはそんな思いはさせたくないのだ。だが、今のままではいずれ議会は正式にあやつを選出するだろう。その前に手を打たなければ……」

ぶつぶつと呟いたのち、王は侍従長を振り返って命じた。

「オードウィン伯爵が来城したらすぐに私のところに呼んでくれ」

「外務大臣をですか？」

侍従長は目を丸くする。

グフタス・オードウィン伯爵は外務大臣を務めている初老の男性で、反宰相派の先鋒《せんぽう》とされる人物だ。そのため、フィオーナの婿《むこ》問題では外国の王族を迎えるべきだという国王の意見に賛同しているものの、旧体制の考えが合わず国王自身は彼とは距離を置いていたのだが……。

そのオードウィン伯爵を呼び出せと言うのだから侍従長が面食らうのも当然だった。

「頼みたいことがあるのだ。外務大臣を通さねばならないことをだ」

「かしこまりました。オードウィン伯爵がいらしたらすぐに陛下のもとへお連れするように手配いたします」

「うむ、頼んだぞ」

侍従長が頭を下げ、その命令を遂行するべく扉に向かうのを見て、国王は胸にそっと手を触れながら小さな声で呟いたのだった。

「あまり時間がない。急がなければ……」

第二章　王女と教育係

フィオーナはアルヴァンと父王のもとから逃げるように退出した後、長い廊下を自分の部屋の方に向かって一人歩いていた。廊下で彼女の姿を認めた使用人たちが頭を下げる。それに笑顔で応じながら角を曲がり、人気のない場所に出るとたちまち笑顔を消し、足を止めた。

——やっぱり、お父様は……。

フィオーナは政務にまるで無関心になった父王の様子にショックを受けていた。

侍従長や大臣たち、それにアルヴァンからも最近の父の様子について聞いてはいたが、実際にその場面を見てしまうと、考えていた以上に事態は深刻なのだと分かる。

いくらアルヴァンが優秀でも、彼は王ではない。父が王としての役割を果たさないと国が揺らぎかねないのだ。

——なぜ自分は男として生まれてこなかったのだろう？

フィオーナが男であれば王子として政治に参加し、父の肩代わりをすることもできた。オクロットが今抱えている問題も起きなかったはずだ。

オクロット国はシュバール国とダシュガル国という二つの大国とそれぞれ国境の一部を接している小さな国だ。豊かとはいえず、常にその二国に振り回されてきた。

両国の顔色を窺いながら、王族の女性を人質同然に嫁がせることで、何とか独立を保ってきたと言える。

フィオーナはそんなオクロットに、国王の娘として誕生した。兄弟はいない。十四年前に病死した王妃をこよなく愛していた国王が後妻を娶《めと》ることなく、独身を貫いたためだ。それゆえ、フィオーナは国王の唯一の子どもとして、将来は王位を継いで女王になることが決まっていた。

オクロットでは女性でも王位継承権を持てることが法律で決まっている。現国王の御代《みよ》、王族は極端にその数を減らしていて、他に候補者はいない。フィオーナの次に継承権を持つのは、ハトコにあたる公爵家の二歳の男子だけだ。だから、フィオーナが女王の座につくのに何の反対も争いもなかった。

けれど、これがフィオーナの夫になる相手となれば話は別だ。

結婚しても夫に継承権はないため王配という立場に過ぎないが、女王の補佐役、そして次期王の父親として国の行方を左右するほどの影響力を持つことになる。よって誰がフィオーナの夫になるかは、オクロットにとっては重要な問題だった。

それだけに、議会でもこの話題は紛糾《ふんきゅう》し、何度も議題にあがっていても意見がまとまったためしはない。

国内の有力な大貴族の子息を王配として迎えるか、それとも大国の庇護《ひご》を得るためにシュバール国とダシュガル国のどちらかの王族を迎えるか。大臣や文官たち、それに主要な貴族の間でも意見は分かれていた。

ただフィオーナの父は大国の王族を婿として迎えることを望んでいるようだ。それは二国に挟まれて苦労し続けてきた経験から、娘に同じような苦労をさせたくないという親心からだろう。大国は女王ということで今より更にオクロットを侮るような難題をつきつけてくるに違いない。それを避けるには、大国の庇護が必要だと彼は考えているようなのだ。

だが、国王がそう考えているにもかかわらず、フィオーナの相手が決まっていないのは、前宰相をはじめとした有力貴族の間で国内から王配を迎えた方がいいという意見が多かったからだ。

国王といえど議会の意見は無視できなかった。そもそも、フィオーナの王配を決めるには議会の承認が必要だった。

両者の意見は対立し続け――おかげで十九歳になった今もフィオーナの婚約者は決まっていない。

フィオーナ自身は父親の気持ちも分かるし、国内から迎えたいと思っている貴族たちの気持ちも理解できた。だからこそあえて「自分はどうしたいのか」発言することを控えていた。

それに夫選びについてはフィオーナ本人の意見は重要とされていない。王女の結婚はあくまで政治の道具であり、王族としてその決定に従うだけだ。

自分に求められているのは父王と議会の決めた相手と結婚をし、国を存続させ、次代の王を産んで育てる、それだけだと分かっていた。それが王族として生まれた者の定めなのだと言い聞かされて育ち、そのことに疑問を抱いたこともなかった。

……その考え方が少しだけ変化したのはいつのことだったか、フィオーナははっきり覚えている。

息を吸うようにその考え方を受け入れていたフィオーナは、周囲が「女王」としての彼女に何も期待をしていないことに気づいてしまった。「王」としての役割を期待されているのは彼女の伴侶《はんりょ》であって、フィオーナではないのだと。

『あなたは王女としては合格点だ。けれど、女王となって国を背負っていくには優しすぎる』

かつて言われた言葉が蘇《よみがえ》る。それを言った彼はフィオーナが「王」として不十分だと考えていることを少しも隠さなかった。

その時まで、王に溺愛され、周囲にも愛され、優しくされてきたフィオーナにそれを指摘してきた人物はいなかった。おそらく、彼女に何も背負わせたくない父王の意向が反映されていたのだろう。フィオーナは「王女」としての教育は受けていたが「王」になるための教育は何もされていなかった。

彼はそれを容赦なく指摘した上で、フィオーナの気質が「王」には向かないと断じた。

誰であろう、それがアルヴァン・レイディスだ。

彼はかつてほんの一時だけフィオーナの教育係をしたことがあった。まだフィオーナが十五歳にもなっていなかった頃だ。

なぜ彼がフィオーナの教育係を務めることになったのか、詳しい事情は分からない。だが、それがアルヴァン本人にとって不本意だったであろうことは、まだ少女だったフィオーナにも分かった。彼は苛立ちを隠そうともしなかったからだ。

当時アルヴァンは二十二歳。すでに社交界ではその容姿と人当たりの良さから随一の人気を誇る貴公子として知られていた。優れているのは容姿だけではなく頭脳明晰《ずのうめいせき》で、本人たっての希望もあって遠い北方にある国に留学することも決まっていた。その国は大きくはないが様々な研究機関が発達し、最先端の技術が集まっていることで有名だった。

その留学を目前にして、なぜ彼が一時とはいえ、フィオーナの教育係をすることになったのか……。経緯はよく分からないが彼自身の言葉の端々から前宰相の意向がそこにあったことは窺えた。

そういった状況を、フィオーナの周囲は前宰相がアルヴァンを売り込もうとしていると見たようだ。

実はアルヴァンはフィオーナの夫候補の一人だった。フィオーナが国内から伴侶を選ぶことになった場合、侯爵家の後継者である彼が選ばれる可能性は高かった。だからそのことを見越して前宰相が息子を送り込んできた、そう思ったようだ。

けれど、フィオーナは学習室で彼と顔を合わせてすぐ、その噂が間違っていることを悟った。現れたアルヴァンは笑顔一つ見せることなく、それどころか、不機嫌さを隠そうともしない。教師としてもとても厳しかった。

フィオーナは、これはどういうことかと首を傾げた。

レイディス家のアルヴァンといえば、柔和《にゅうわ》で礼儀正しく、社交界でも令嬢にとても人気のある貴公子だと聞いていた。フィオーナ自身はまだ社交界の催しに出席できる年齢ではないので、個人的に話をしたことはないが、何度か式典で見かけた時も、挨拶を交わす時も常に笑顔だった。

ところがフィオーナの前に現れた教師としてのアルヴァンは、まるで別人かと思うほどに違っていた。間違っていれば容赦なく指摘され、直される。そこに優しさは感じられず、どこか意地悪ですらあった。

どうやら留学が迫っているこの時期に、父親の命令で強引にフィオーナの教師をさせられることになり、腹を立てていたようだ。その苛立ちがそのまま態度に表れていたのだろう。……いや、もしかしたら、フィオーナの夫になることを望んでいないと示すために、わざと嫌われようとしたのかもしれない。

「王女様。あなたが今まで学んできたのは帝王学ではありません。それはあくまで王女としての教育です。王女としてはよくても『王』としてはそれではだめです」

　手厳しくそう言われ、フィオーナは落ち込んだ。

「こんなことも教えていないとは呆れますね。父が懸念《けねん》するわけだ。王は一体何をお考えなのか……」

　アルヴァンは城内にいるにもかかわらず平然と父王を批判するような言葉を口にする。誰かに聞かれてしまえば罰せられてもおかしくないのに。フィオーナは気を悪くするどころか、反対に彼が咎められはしないかと心配になったくらいだ。

　けれどその心配すらアルヴァンにとっては眉を顰めることのようだった。

「王女様。あなたは優しすぎます」

　そう言って彼はため息をつく。どうやら彼はフィオーナの何もかもが気に入らないようだ。完全に嫌われているのだと思い、フィオーナは胸が痛んだ。悪意とまではいかないが、こんなふうに批判され、悪感情をもたれたのは初めてのことで、どうしたらいいか分からなかった。それでも何とか及第《きゅうだい》点をもらいたくて、拗《す》ねたり怒ったりすることなく真剣に彼の話を聞いた。

　アルヴァンも彼女の無知さやあまりの純粋さに呆れてはいたが、授業に手抜きはなかった。

「王女様、あなたの目の前で罪を犯した人間がいるとしましょう。そうですね……その人物はお金欲しさに盗みを働いた。けれど、彼にはどうしても盗みをしなければいけない理由があった。それは家族のためです。彼は決して私利私欲のために盗みを働いたのではなく、家族を救うためにどうしてもお金が必要だったのです。けれど盗んでみたところで、結局は良心が咎め、彼は自分の罪をあなたに告白します。盗まれたものは返却され、結果的に被害はありませんでした。彼は反省し、二度とこんなことはしないと涙ながらに誓っています。……さて、王女様、あなたは彼をどうしますか？」

アルヴァンはそう問いかけると、テーブルを挟んで座るフィオーナをじっと見つめた。

その視線を面映《おもはゆ》く思いながら、フィオーナは「彼」の犯した罪とその動機を考えた。

「彼は普段は品行方正で、盗みなど働く人間ではないということも付け加えておきましょう。その上であなたは彼をどう裁きますか？　どうしたいと思いますか？」

促され、フィオーナはおずおずと答えた。

「結局、被害は何もなかったのですよね？　自分から罪を告白して盗んだものを返しましたし、罪を犯さなければならなかった動機も決して私欲ではなくて、大事な家族のため。反省しているし、二度としないと誓っているのなら……私は許してあげたいと思います」

フィオーナはアルヴァンの話に出てくる「彼」に大いに同情していた。もし身近にいる人物が同じような罪を犯したら、罪には問えないだろう。

けれどアルヴァンはフィオーナの答えを聞いて首を横に振った。

「いいえ。彼は罪に問われるべきで、あなたは彼を許すべきではありません」

「え……？」

フィオーナは目を見開いた。

「たとえ盗んだものが返されようと、彼が盗みを働いた事実は消えはしないのですよ、王女様。彼は罪を犯した。その罪に見合うだけの罰を与えねば法の意味がなくなる。あなたがすべきことは断罪で、同情することではないのです。情に流されて判断を誤ってはいけません」

「で、でも……だからといって罪に問うのはあまりにも……」

悲しそうな顔をするフィオーナに、アルヴァンはふぅと息を吐いた。できの悪い教え子に呆れているふうでもあった。

「王女様。それが情に流されているということですよ。いいですか？　あなたがもし彼を無罪放免にしたら、周囲はどう思うでしょうか？　捕まっても盗んだものを返せば罪は許される、自分のために盗んだのでなければ王女は罪には問わないだろう、そう思うでしょう」

「……まさか、そんなことは……」

フィオーナは首を横に振った。自分の身近にいる人たちがそんなことをするとは思えなかった。けれど、アルヴァンはそんな彼女に冷めたような視線を送った。

「そう考える人間は必ず出てきます。あなたの優しさや同情につけ込む人間が。そしてあなたは『彼』を許した手前、同じことをした者を許さないわけにはいかなくなる。そうなれば法はますます意味をなさなくなるでしょう」

「そんな……」

彼は大げさすぎる。そう思ったけれど、そう考えること自体が自分の立場の重さを少しも自覚していないことなのだとフィオーナは思い知らされることになった。

「王女様。あなたはやがて女王となってこの国を治めていく方です。あなたの判断や言葉がオクロットの意思になる。その影響力は計り知れない。そのあなたが一時の情に流されて短絡的に判断を下せば……どうなるかはさすがに分かるでしょう？」

フィオーナは俯いた。

「あなたが判断を誤れば国が傾くこともあるのだと、自覚してください。でなければ我々国民は不幸になるのです」

「……はい」

フィオーナはアルヴァンの顔を見ることができず、俯いたまま頷いた。彼の言うとおりだった。

——その後も、アルヴァンの授業は続き、彼は時に冷たく、時に苛立たしげに、一つ一つ実例を挙げて彼女に帝王学を教えていった。

情に流されて判断を誤ってはいけないこと。特定の人間を贔屓《ひいき》したり寵愛《ちょうあい》したりしてはならないこと。自分にとって快い言葉だけを聞くのではなく、厳しい言葉こそ受け入れること。臣下たちの前で感情を露《あら》わにしてはならないことなどを。

けれど今まで慈悲深くあることが一番大切だと言い聞かされてきたフィオーナには、なかなかアルヴァンの満足するような答えを導きだせなかった。ため息をつかれ、頭を横に振られるたびに自分の至らなさに情けなくなってくる。

……なぜ自分はもっと前からこれを学べなかったのだろう？

そう思ったが、答えは分かっていた。誰もフィオーナに女王として国を引っ張っていくことを望んでいないからだ。求められているのは玉座に座り、次代に繋げる子を産むことだけ。他でもない、父王がそれを彼女に望んでいた。

そんなふうにお飾りの女王となるように育てられたフィオーナが、簡単に王になるための思考が身につくはずがない。

表面的なものだけなら理解はできる。そのとおりだと頭では分かっている。けれど、いざ例を出されて決断を迫られると、どうしても生来の優しさが出てしまい、フィオーナは正しい答えを導きだせない。すぐに、迷ってしまう。情に流されてしまう。

そのたびにアルヴァンにはため息をつかれ、呆れられた。

──できの悪い教え子と、嫌々教えていることを隠しもしない教師。

アルヴァンの授業は毎日のように行われたが、日々を重ねても二人の関係は初日とまったく変わらなかった。そしてそれは、アルヴァンが留学するまで続くと思われた。

ところが、ある日を境にその関係に変化が現れた。

その日のことを、フィオーナは昨日のことのように思い出せる。

＊＊＊

アルヴァンによる教育が始まる少し前から、フィオーナは城から出ることを禁止されていた。

もともと一国の王女が城の外に出る機会は少なく、母親である王妃の公務を継いで月に一度、孤児院の慰問《いもん》に出かけるのがほとんど唯一の外出といえた。

ところがアルヴァンが教育係になる三か月ほど前、ある孤児院を訪れた際、刃物を持った男が乱入してくるという事件が起こった。男は警備の兵にすぐに捕らえられ、しかもフィオーナを狙ったものではないことが分かったが、その事件のことを聞きつけた父王が心配し、フィオーナの公務を中止させて外出禁止にしてしまったのだ。

「外出禁止が解ければいいのに。もう半年近くも城の外に出ていないのです……」

庶民の暮らしについての授業を受けている時、つい窓の外を眺めながら漏れ出たフィオーナの言葉に、さすがのアルヴァンも同情したようだ。何と彼は、彼の父親である宰相を通じて父王からフィオーナの外出許可をもらってくれたのだった。

行き先は城の外壁の外に広がる森という、ごくごく近い場所であったが、ずっと城から出ることを許されなかったフィオーナにとっては嬉しい出来事だった。

「ありがとうございます。アルヴァン！」

笑顔で礼を言うフィオーナの顔から、アルヴァンはふっと視線をそらして言った。

「……城の外のことを知るのも王族の大事な仕事ですから。とはいえ、とても短い間ですから、外出と言っても、散歩程度になりますけれど」

「それでもいいのです。嬉しいです！」

外出できるのも喜ばしかったが、アルヴァンがそこまで自分を気遣ってくれた、そのことが何よりもフィオーナは嬉しかったのだ。彼には嫌われていると思っていたからなおさらだ。

明るい日差しが降り注ぐ中、フィオーナは城を出発した。その傍らにはアルヴァンの姿もあった。森への散歩はアルヴァンの授業の一環として行われているので、教師としてアルヴァンも随行《ずいこう》することが条件に入っていたのだ。もちろん、フィオーナに否やはなかった。

もっとも、城のすぐ傍だと言っても、一国の王女が出かけるのだから前もって兵士を派遣し、人が近づかないように配慮されていたし、護衛の兵もいる中での散歩だ。二人きりではない。けれど、フィオーナは普段はあまり行けない場所に行けるとあって、めったにないくらいに浮かれているのを自覚していた。護衛たちの目があるからか、アルヴァンがいつもより愛想がよかったことも、フィオーナが浮かれた原因の一つだ。

森の散歩は楽しかった。アルヴァンは政治学だけではなく、植物についても詳しく、フィオーナの知らない草や花を指し示しては説明をしてくれた。

「薬学もかじっていますから」

なぜそんなに詳しいのかと尋ねたフィオーナにアルヴァンはそう答えた。

「面白いですよ、薬学は。量が多ければ人を死に至らしめる植物も、ほんの少しの量なら薬となるのです。他の植物と配合すれば、また別の効果が生まれる。実は……留学先でも薬学を学ぼうかと思っているのです」

アルヴァンは穏やかな笑みを浮かべた。今日の彼は愛想がいいだけでなく、いつもより饒舌《じょうぜつ》だった。

「あの国は薬学の研究も盛んですから。我々の知らない新しい薬が日々開発されている。私はそれを知りたいのです」

素敵なことだとフィオーナは思った。それでつい口にする。

「それはオクロットにとってもいいことだと思います。あなたが最新の薬学を学んで持ち帰ってくれたら、この国の医療技術ももっと発展するでしょう」

「……そうですね」

言いながらアルヴァンは苦笑いを浮かべた。それは彼にしては珍しく、何かを言いよどんでいるような、どこか煮え切らない表情だった。不思議に思って彼を見つめるが、フィオーナにはなぜ彼がそんな顔をするのか分からなかった。

何か変なことを言っただろうか？

けれど、その疑問を問いただす機会はなかった。アルヴァンが、小さな赤い花を見つけて、彼女に示したからだ。

「この花はセンナといいます。この花の雌しべを乾燥させて軟膏《なんこう》と混ぜれば痛み止めとして利用できるのです。嫁入り道具として娘に持たせる貴族も多いと聞きます。何に使うかは……まぁ、まだ王女様が知る必要はないでしょう」

アルヴァンは一瞬だけ意味ありげに口の端を歪ませたがすぐにその笑みを消すと、話題を変えた。それでまたフィオーナは彼の表情の意味を問いただす機会を失うのだった。

「このあたりで休憩しますか？」

城を出発して三十分ほど経った頃、フィオーナの疲れを感じ取ったかのように、アルヴァンが提案した。フィオーナは普段城の狭い範囲内しか出歩かない。慣れない森の道を歩いて疲れを覚えていたこともあり、彼女は感謝の笑みを彼に向けた。

「ありがとう、アルヴァン。そうしてもらえると助かるわ」

一行は森が開けたところで休憩を取ることにした。護衛が持参していた簡易的な木の椅子に腰掛け、フィオーナは侍女のアーニャが用意して持たせてくれたお茶を口にする。アーニャはアルヴァンの分も用意してくれたらしく、バスケットの中には二人分のお菓子とお茶があったが、彼はフィオーナの誘いを断り、護衛の責任者のところへ帰路の確認に行ってしまった。

フィオーナは一人、太い樹の木陰に佇んでいた。アルヴァンにお茶を断られたことで妙に気落ちしてしまい、外出できることへの興奮は少し冷めていた。一人ではバスケットの中のお菓子をつまむ気にもなれず、せっかく用意してくれたアーニャに悪いとぼんやり考えていた。

その時だ。近くでガサっと木の葉が揺れる音がして、子犬のような生き物が現れた。

フィオーナは、生き物といえば城で飼っている犬や猫しか目にしたことがない。そのため、その犬に似た灰色の生き物についてすっかり思い違いをした。

「お前は迷子？　近くにお母さんはいないの？」

フィオーナはその生き物の前に跪《ひざまず》き、話しかけた。まさか、その犬だと思っていたものが狼で、子育て中で気が立っている群れが近くにいるなどと少しも考えが及ばなかった。

またアルヴァンたちも、先立って周囲を警備させていた兵士たちから狼の群れが近くにいることは報告を受けていなかったために、その可能性を失念していた。

「お菓子は食べるかしら？」

フィオーナはバスケットの中からビスケットを取り出して差し出した。すると、野生の狼は子どもとはいえ、警戒心を露わにして後ずさり、歯を剝きだしにして唸り声をあげる。

その時になってようやくフィオーナはおかしいと思い始めていた。

……もしかして、この子は犬ではない……？

「王女様、離れなさい！　それは狼だ！」

突然響いた鋭い声にフィオーナはビクッと飛び上がった。その声と重なるように狼の子どもが咆《ほ》え、いきなり地面を跳躍し、フィオーナに飛び掛かってくる。

けれど狼の小さな爪はフィオーナには届かなかった。彼女の身体は、力強い腕にぐいっと抱きかかえられ、目の前の狼が払いのけられたからだ。

「キャンッ」

払いのけられた狼の子は、すぐ近くの木に激突した。けれど、フィオーナはそれを最後まで見ることはなかった。アルヴァンの腕によって強引にその場から引き離されたからだ。そしてすぐさま護衛の兵士たちがやってきて、二人を狼の群れから隠すように囲い、剣を構えた。

「ア、アルヴァン？」

異様な雰囲気にフィオーナは怯《おび》えた。

「静かに。狼の群れです。囲まれています」

淡々とした口調だったが、その声には緊張感が溢れていた。ハッとして見渡すと、周辺の木の陰に何頭もの狼の姿があった。明らかな敵意を抱いてフィオーナたちを見ている。気づくとフィオーナたちはすっかり囲まれていた。

護衛の責任者が持っていた笛を吹く。ビィィィという甲高《かんだか》い音があたりを震わせた。おそらくは周辺に配置した兵士たちを呼び寄せる合図なのだろう。しかしその間にも狼たちはゆっくりと木や草の陰からどんどん姿を現すと、その輪をじりじりと狭めていった。

フィオーナは護衛に輪の中心で守られ、アルヴァンの腕の中に庇《かば》われながら震えていた。

ほんの数時間の散歩のはずだった。それなのにこんなことになるなんて……。

けれど、怯えるフィオーナとは裏腹に、兵士やアルヴァンは冷静だった。彼らは訓練された兵士だ。援軍も呼んだのでその間だけ持ちこたえればいい。狼の群れといっても、思ったより頭数は少ない上に、子どもを抱えている雌らしきものもいるから無茶もしないだろうと思われた。

しかしその時、一際身体の大きな狼が咆えると同時に、数頭の狼が飛び掛かってきた。

「ひっ……！」

フィオーナは悲鳴を呑み込んだ。けれどももちろん狼の牙や爪がフィオーナに届くことはなく、兵士たちの剣で次々と倒されていく。けれど安心したのもつかの間、狼は次から次へと襲ってきた。

そのうちの一頭が、ある兵士の腕に噛み付いているのが目に入ってフィオーナはハッとした。

「あ、危ない……！」

「動かないでください！　あなたが動けば却って彼らの邪魔になる」

思わず足を踏み出しそうになったフィオーナを強い力で引き戻しながら、アルヴァンが厳しい口調で制した。

「彼らの仕事はあなたを守ることです。そして今のあなたにできることは大人しく守られていることだけです」

「でも……！」

「大丈夫です。援軍が来ましたから」

その言葉のとおり、ガチャガチャと鐙《あぶみ》の音を響かせて、異変に気づいた兵士たちが次々と到着した。彼らのうちの一人が負傷した兵士から狼を引き剥がすのを見て、フィオーナはホッと安堵の息を吐く。

狼は援軍が到着したことで、これ以上の攻撃は諦めたらしい。身体の大きな狼が空に向かって大きく吼えると、その声に応えるかのように、狼たちが撤退を始めた。兵士たちも特に深追いはしない。

そうして瞬く間に、狼は一匹残らず姿を消し、あたりはもとの静かな森の風景を取り戻した。

フィオーナは木に叩きつけられた狼の子が気になってアルヴァンの腕の中で首を廻《めぐ》らし、さっきまで自分がいた木陰に目を向けた。そこにはフィオーナが座っていた椅子と、地面に転がり中身の散乱したバスケットがあるだけだった。あの狼の子の姿はどこにもない。どうやら無事に群れと一緒に離れたようだ。

ふぅと息をついたフィオーナは、負傷した兵士のことを思い出し、アルヴァンの腕から抜け出すと、地面に座り込んでいたその男のもとへ駆けつけた。

「大丈夫ですか!?」

兵士は自国の王女が跪いて自分を心配そうに見ていることにびっくりしたらしい。目を丸くし、頷きながらも呆然としていた。フィオーナはそんな彼を他所《よそ》に狼に噛まれた腕を見つめる。よほどすさまじい力で噛み付かれたらしく、兵士の腕当てには大きな穴が空いていた。牙は貫通し兵士の皮膚まで傷つけたらしく、腕からは血が流れている。

「大変。血を止めないと……！」

フィオーナは傷の具合を診《み》ようと彼の腕に――怪我を負っている場所を避けて、触れようとした。ところが彼女の白い指が触れる直前、フィオーナの腰を引き寄せながら立ち上がらせた人物がいた。もちろんそんなことをするのはこの場ではアルヴァンだけだ。

「彼に触れてはいけません。野生の狼はその牙や爪に無数の細菌を持っています。彼の血を媒介してあなたに感染しないとも限らない。それに……」

アルヴァンは淡々と言い、警備の責任者に視線で合図を送った。

「あなたが彼の傷を診る必要はありません。それは他の者の仕事です」

「アルヴァン殿の言うとおりです。彼の傷は私が診ますから、姫様はお下がりください」

アルヴァンの言葉を受けた警備の責任者が、傷を負った兵士のもとへ行って跪く。

「で、でも、彼は私のせいで傷を負ったのです。せめて止血だけでも……」

「彼の仕事はあなたを守ることです。彼はその役割を果たしただけです」

アルヴァンはにべもなくそう言った後、彼女の気持ちを慮ったのか、やや柔らかな口調で付け加えた。

「あなたが気にやむことはありません。彼のことは他の者に任せなさい」

けれど、フィオーナは譲れなかった。彼の言うことはもっともだと思う。けれど、納得するわけにはいかなかった。

フィオーナは心の奥から湧き出る思いに身を小さく震わせながら、昂然《こうぜん》と頭をあげてアルヴァンに言った。

「アルヴァン。確かに私を守ることが彼の役割でしょう。でも、それが仕事だからといって、私は私のために傷ついた人を気にも留めない人間にはなりたくないです。もしそれが王や女王には当然のことだと言われても！　私はそんな君主になどなりたくありません」

フィオーナは今までこんなふうに誰かにくってかかるような言い方をしたり、何かを主張したことはなかった。周囲の望むとおり、優しく慈悲深い王女として振る舞い、その自分を受け入れてきた。

けれどこの時、何かがフィオーナの中で変わり始めていた。

アルヴァンはフィオーナをじっと見下ろした。何を考えているのか、その表情からは窺い知ることはできない。けれど、フィオーナの言うことに何か思うところがあったのか、ふぅとため息を漏らすとフィオーナに片腕を回したまま、もう片方の手で自身の首に巻いていたクラヴァットを解き始める。それから薄い緑色のその布を護衛の責任者に差し出した。

「これでその傷を止血してください」

「あ、いえ、止血するための布はありますから、わざわざアルヴァン殿のクラヴァットを使わせていただくのは……」

「このクラヴァットは止血効果のある草で染めたものです」

恐縮する責任者の言葉を遮るようにアルヴァンは言った。

「薬として抽出したものを直接塗《ぬ》るより効果は薄いですが、城に帰って本格的な治療をするまでの繋ぎとしては十分でしょう」

フィオーナはびっくりして、アルヴァンを見上げた。まさか、彼がそんなことを言い出すとは思っていなかったのだ。けれどその申し出が、フィオーナが兵士の傷を気にしているからだということに気づいて、心の中にポッと暖かいものが灯った。

「そんな貴重なものを……ありがとうございます。アルヴァン殿」

警備の責任者がその布を受け取ると、アルヴァンは今度は上着の内ポケットの中から小さな瓶《びん》に入った薬を取り出した。

「そしてもし城に帰るまでに嘔吐したり、急激に熱があがったりと感染症の疑いが出てきたら、これを服用させてください」

「それは？」

「抗菌薬です。森の植物の中には人体に影響のある菌を持っているものもありますから。万一のために持ってきたのです」

二人のやり取りを黙って聞いていたフィオーナは、身じろぎをした時にふと自分の腰に回された手についたあるものが目に留まり、息を呑んだ。

「何から何までありがとうございます。アルヴァン殿」

アルヴァンから瓶に入った薬も受け取った責任者が止血をするために怪我をした兵士の

傍に屈みこむ。そのタイミングを見計らって、フィオーナはアルヴァンを見上げ小さな声で言った。

「もし具合が悪くなったらすぐに言ってください。あの薬が必要なのは、もしかしたらあなたなのかも、ですよね？」

フィオーナは自分の腰に回された手の甲に触れる。そこには切り傷のようなものがあって、一筋だけ血が流れた跡を残していた。幸い深い傷ではないし、すでに血も乾き始めているが。

森に入るまで――いや、森に入ってからも、ついさっきまでアルヴァンにそんな傷はなかったのは確かだ。だから傷ついたのはあの時以外にあり得なかった。フィオーナをあの狼の子から庇って払いのけた時だ。きっとあの時爪に引っかかったのだろう。

これは野生の狼につけられた傷だ。さっき奇《く》しくも彼自身が言っていたように、彼の血や傷に触れることで自分が感染症にかかってしまう可能性もあった。だからフィオーナは触れるべきではない。……けれど。

――でも、そんなことは構わない。この傷は私を庇ったために負ったものだから。

彼女はアルヴァンの傷にそっと指で触れた。

「ごめんなさい……」

「……ああ。気づきませんでした」

アルヴァンは自分の手の甲の傷に気づき、肩をすくめる。

「王女様、危ないですから、私に触れないでください」

「嫌です」

腰から手を離し距離を置こうとするアルヴァンに、フィオーナは首を横に振った。

それからドレスの内側に紐でつり下げたポケットから白いハンカチーフを取り出して、さっと距離を詰める。それから傷を負った腕を取ると、その傷にハンカチーフを巻いていった。

アルヴァンは意外にも無理やり引き剝がすことはせずに、フィオーナの好きにさせていた。

巻き終わると、フィオーナは彼が何か——王族の心得などを言い始めないうちに急いで口を開く。

「さっきは助けてくださってありがとうございます、アルヴァン。……でも、さっき言ったとおり、私のために傷ついた人を仕事だから当たり前だと思う人間にはなりたくありません。ですから私はあなたが城に帰って、きちんと治療を受けるのをこの目で見るまでは傍から離れませんから」

いつものフィオーナらしくもなく強い口調でそう宣言すると、アルヴァンはしばらく彼女を見下ろしてからため息をついた。

「どうぞご自由になさってください」

……その声は、けれどいつもよりずっと優しい響きを帯びていた。

＊＊＊

その日以来、アルヴァンのフィオーナに対する態度が変わった。

愛想がいいとは言いがたいが、不機嫌な様子は鳴りを潜《ひそ》め、フィオーナが答えるたびにため息をついたり呆れたように首を横に振ることもなくなった。

水を向けるとポツポツとだが、自分のことも話してくれるようになった。彼は北方の国で学ぶことをとても楽しみにしているらしい。ずっと以前から留学を希望し、父親である宰相から政治学と経済学を学ぶことを条件にようやく認めてもらったというのだ。

「ここでは知識を得ようにも限界がある。けれど、北方の国には際限がない。私はもっといろいろなことを知りたいし、もっと広い世界で自分の力を試してみたいとも思っています」

頭が良すぎる彼にとって、この国は狭く、そして人々は退屈に思えるらしい。父親が留学を認める条件の一つとして挙げていたから社交界にも顔を出して如才《じょさい》なく付き合いはしたが、本当は頭の悪い貴族たちと話をするくらいなら、本の一つでも読んでいる方が建設的だと思っているのだと。

彼が忌憚《きたん》なく語る話をフィオーナは興味深く聞いていたが、そのうちふとあることに気づいて不安を覚えるようになった。

彼は留学先からもうこの国に戻ってこないのではないか？　あるいは帰ってきても、この国を出ようと思っているのではないかと。

アルヴァンはこの国を狭いと考えているようだった。もっと広い世界で自分の知識や力を試してみたいのだとも言っていた。

――彼はこの国を捨てるつもりなのだ。

……それは妙に確信めいた予感だった。

けれど、そう考えたらフィオーナへの態度も納得がいく。自国の王女を前にして不遜と言える態度を取れるのも、こんなふうに忌憚なく自分の考えを言えるのも、この国にはもう戻るつもりがないからだろう。彼にとっては自分や父王は仕えるべき主君ではないのだ。

彼の持ち帰った薬学がこの国に役立つだろうとフィオーナが言った時、どことなく煮え切らない態度だったのも当然だ。彼は学んだことをこの国に持ち帰るつもりはないのだ。

そういえば彼は留学して学ぶことが楽しみだと話すが、学んだことをどう生かすつもりなのかを告げたことはなかった。

それに気づいて何日間か悶々《もんもん》としたフィオーナは、ある日ついに彼に直接尋ねることになる。なぜなら、彼がこう言ったからだ。

「王女様。今日が最後の授業です。短い間でしたが、お世話になりました。明日、私は留学先の北方の国に旅立ちます」

「……明日？」

フィオーナはショックを受けた。彼がフィオーナの教育係を務めるのは留学するまでのほんの一時だけ。それは分かっていたはず。なのに……。

「……最後……」

胸がぎゅっと痛んだ。まるで冷たい手で心臓を鷲掴《わしづか》みされたかのようだ。

アルヴァンが行ってしまう。彼はもう戻ってくる気はない。もう会えないのだろうか？

そう思ったら無意識のうちに尋ねていた。まるで懇願するかのように。

「ア、アルヴァン？　留学が終わったら戻ってきますよね？　この国を出ようなんて考えていないですよね？」

アルヴァンはフィオーナの突然の言葉に目を瞠り、それからふっと口元に苦い笑みを浮かべた。

「……この国は私には狭すぎるのです、王女様」

それが答えだった。ああ、やはりとフィオーナは思う。

彼はこの国を見捨てようとしているのだ……と。

——……それは駄目。

突然、胸の奥から湧き起こったのはそんな思いだった。

——この先、この国には彼が必要になる。……いいえ、国ではなく、自分に必要だ。女王になった時、この人の手助けが必ず必要になる。

引きとめなくては……！

そんな思いに駆られ、フィオーナは胸の前で両手を組みアルヴァンに訴えた。

「アルヴァン。お願いです。戻ってきてくださいませんか？　この国にはあなたの知恵や力が必要なのです！」

「王女様？」

目を丸くするアルヴァンにフィオーナは必死になって哀願した。今まで生きていてこれほど必死になったことはないくらいに。

「あなたがこの狭い国を出て、もっと広い世界で自分の力を試してみたいと思っているのは分かっています。これが私のわがままだということも。でも、でも、私にはあなたの助けが必要なのです」

アルヴァンは何も言わずに眉を寄せてフィオーナの言葉を聞いている。吟味《ぎんみ》しているのだろうか？

「お願いします、アルヴァン。もし戻ってきてくださるなら、あなたの望みができるだけ叶うようにします。私でできることなら何でもします。ですから……戻ってきてください。この国を、私を見捨てないでください」

フィオーナの青い目に涙が滲んだ。それを見下ろしながらアルヴァンは静かに問いかける。

「本当に、何でも叶えてくださいますか？」

「ええ！　もちろんです！　……戻ってきて、いただけませんか？」

フィオーナが窺うように尋ねるとアルヴァンは頷いた。

「……分かりました。そう仰っていただけるならば」

「ありがとうございます。アルヴァン！」

彼が戻ってきてくれるのなら、自分は努力して彼の望むような善き主君になれるように努力しよう。そう心に誓った。

……けれど、喜びもつかの間、別れ際にフィオーナは彼から心に生まれかけた自信をぺしゃんこにされるような言葉を告げられたのだ。

「王女様。短い間ですが、あなたは出来不出来はともかく、一生懸命私の話を聞いてくださって好感の持てる生徒でした。……ですが、あえて言わせていただきます」

穏やかな笑みすら浮かべてアルヴァンはそう言った後、不意にその笑顔を消した。

「王女様、あなたは確かに『王女』としては合格点です。優しくて慈悲深く、それでいて王族としての自覚も持っている。けれど『女王』となって国を背負っていくには、あなたは優しすぎる。王には向かない。玉座は……あなたには荷が重すぎるでしょう」

フィオーナは頭をガンと殴られたような衝撃を受けた。

「陛下がなぜあなたに王としての教育を受けさせなかったのか、今は分かります。お飾りの女王となったほうが、あなたが幸せだと思ったからでしょうね。でも……」

彼が自分を女王としては不十分だと考えているのは知っていた。彼はそれを隠そうともしなかったからだ。でもそれはまだ甘い考えだったのだ。

彼はフィオーナを王としては落第《らくだい》だと考えていた。お飾りの女王でいる方が妥当だと。アルヴァンはフィオーナに何の期待もしていないのだ。

森への散歩以来、ほんの少し認めてもらえたような気がしていたが、それは勘違いに過ぎなかったのだろう。

彼に認めてもらおうと頑張ったこともすべて否定された気がして、フィオーナは傷つき、呆然とした。ショックのせいか、彼の言葉の半分も耳に入ってこない。

「父がなぜ留学の最後の条件に、あなたの教育係を言いつけてきたのか。その理由が今は分かる気がします。あの人はあなたの人となりを知って、私がどう思うか分かっていたのでしょう。してやられた気分ですが……」

アルヴァンは小さくため息をついた後、フィオーナに頭を下げた。

「王女様。約束どおり、留学を終えたら必ずこの国に戻ってまいります。その時までどうかお元気で」

フィオーナはハッとした。そうだ、少なくとも彼は戻ってきてくれると約束してくれた。これで終わったわけでない。まだ認めてもらえる可能性もあるのだ。

「ま、待っています、アルヴァン。あなたが帰ってくるのを。お身体に気をつけて行ってらっしゃい」

「はい。では行ってきます」

最後にようやくフィオーナに笑顔を向けると、アルヴァンは彼女のもとから去っていった。彼女の胸に決意を残して。

アルヴァンは北方の国へと留学し、フィオーナの日常は彼が教育係をする前に戻った。誰もフィオーナの行動にため息をついたり、否定したりしない。できの悪い子どもを見るような目で見ることもない。

優しく慈悲深い王女だと誰もが褒《ほ》めそやす。けれど、フィオーナはそれを素直に喜べなくなっていた。王女としてはよくても、女王としては不十分だと分かっていたからだ。

フィオーナは自分の胸にぽっかりと穴が空いたような気がしていた。何かが足りないとずっと感じていた。でもそれが何かは分からなかった。この時フィオーナはまだ十五歳の少女で、自分の心の変化を自覚してはいなかったのだ。

頻繁に、アルヴァンのことを思い出しては、今彼は何をしているのだろうと考えてしまうのも、教師として慕っているからなのだと考えていた。

ところがある日、彼の父親である宰相からアルヴァンの留学先での様子を聞く機会があり、彼が北方の国にも慣れて楽しくやっていること、学友もできたようだということを教えられて、チクリという胸の痛みを覚えたことで、教師として慕っているのとは違うのだと悟った。

純粋に慕っているだけなら、彼が念願の留学先で楽しく学んでいることを喜ばしいと思ったに違いない。けれど、フィオーナはアルヴァンに自分のことを考えていて欲しいと思った。自分が彼のことを考えてしまうように。

そう思った瞬間、この気持ちがどこから来るのかようやく気づいた。フィオーナはいつの間にかアルヴァンに恋をしていたのだ。無愛想で、意地悪で、彼女に何の期待もしていない彼のことを。

彼女は恋を自覚して、そして同時に失恋をしてしまった。

フィオーナはアルヴァンと結ばれることはない。たとえ彼がフィオーナの夫候補の一人であっても。

自分はアルヴァンに好かれていない。嫌われているとまではいかないまでも、自国の王女としてしか思われていない上に、将来仕える相手としても認めてもらっていない。失格だとさえ思われているのだ。

アルヴァンがこの国に戻ると約束してくれたのも、彼女が懇願したから。それに戻ることについては約束してくれたが、そのまま国に留まってくれると約束したわけではない。彼はいつでもこの国を捨てられるのだ。

だからせめて彼を引きとめておけるように、フィオーナは彼のいない間、一生懸命勉強をして女王に相応しくなろうと決意した。彼が仕えるに足る人物になろうと。彼の思い描く「王」になろうと。

――そして、彼が留学から帰った時に自信を持って「お帰りなさい」と言えるようになろうと。

＊＊＊

「姫様？　フィオーナ様？」

呼びかけられて、フィオーナは過去の思い出から引き戻されてハッとした。声の方を振り返ると、色の濃い金髪を結い上げ、お仕着せの侍女服に身を包んだ若い女性が紙の束を手にして立っていた。そうだ、フィオーナは父王とアルヴァンが話をしている部屋から逃げるように退出して、自室に戻ろうとしているところだったのだ。

「まぁ、ニナ。久しぶりね。仕事はどう？　うまくいっている？」

フィオーナはよく見知ったその女性に笑いかける。彼女は以前フィオーナの侍女をしていた女性だ。

ニナと呼ばれた侍女ははにかんだ笑みを浮かべながら頷いた。

「はい。皆様に大変よくしていただいております。あの……ところで姫様はお一人で？」

不思議そうに尋ねられてフィオーナの顔に苦笑が浮かんだ。

小さな国とはいえフィオーナは一国の王女だ。その彼女が一人で城の中を歩くことは基本的にはなく、移動する時は侍女を伴っていくのが普通だ。けれどニナが抜けた後、フィオーナ付きの侍女の数は増やしていないので、どうしても手が回らなくなることがある。そんな時は、フィオーナは出来る限り一人で行動することにしていた。

「今日はレノアが遅れてしまったので、一人よ」

「レノアさんが？　恋人ができてから仕事に身が入っていないという噂は本当なのですね」

眉を顰めるニナに、フィオーナは話題を変えるように尋ねた。

「そういえば、ニナに会ったら聞こうと思っていたの。その後、あなたのお父様のお加減はどうなの？」

その言葉を聞いてニナはパッと明るい笑顔になった。

「姫様と宰相様からいただいたお薬のおかげですっかりよくなりました！　今は床離れして、仕事も再開できるようになっているんです。何もかもすべて姫様のおかげです。愚かなことをしでかした私を助けてくださったばかりか、父まで救っていただいて。本当に感謝のしようもありません」

ニナは深々と頭を下げた。

「姫様、このご恩は忘れません。いつか必ず姫様にご恩返しさせていただきたいと思っています。たとえ何年かかっても」

フィオーナは慌てて手を横に振った。

「まぁ、ニナ。顔をあげてちょうだい。恩返しなんて、そんなことは考えなくていいから。

あなたが元気で今の仕事を頑張ってくれたら、それでいいわ」

「姫様。姫様は本当にお優しい」

顔をあげたニナはその水色の瞳にうっすら涙を浮かべていた。

「私、姫様のご恩に報いるように頑張りますね。そしていつか絶対姫様に……」

「だから気にしなくていいのに。ああ、ほら、仕事の途中なのでしょう？　早くお行きなさい」

確かニナは今、書記官たちが働く部屋の専属侍女として働いているはずだ。書類らしきものを持っているところを見ると、手伝いでどこかに書類を届けるか取りに行ったかした途中なのだろう。

「あ、はい。これを宰相様の執務室へお届けする途中でした。それでは姫様。失礼いたします」

ニナは再び深いお辞儀をするとフィオーナがやってきた方向に去っていった。フィオーナは笑顔で見送っていたが、その姿が見えなくなったとたん、顔から笑みを消した。

『姫様は本当にお優しい』

……確かにニナにとっては、フィオーナは優しくて慈悲深い王女だろう。彼女はその優しさによって罪を許され、慈悲によって父親の命も救ってもらえたのだから。

けれど、今のフィオーナにとって、その賞賛は苦い気持ちをもたらすものでしかなかった。

ニナは男爵家の娘だ。侍女見習いとして城にあがり、以前はフィオーナ付きの侍女をしていた。だが一年半ほど前にフィオーナに贈られた宝石を盗もうとしたことが発覚して、彼女の侍女を外されたのだ。

宝石はフィオーナの夫候補にも挙げられている公爵家の子息から贈られたもので、いらぬ期待や憶測を恐れて、ニナに送り返すようにと命じていたものだった。ニナはそれを返送しないで隠し持っていたところを同室のレノアに見つかり、フィオーナの前に突き出されたのだ。

理由を問えば、ニナの実家の男爵家は経済的に困窮していて、父親である男爵が病気で倒れても薬が買えない状況なのだという。ニナは城から支払われる給料を全額仕送りしていたものの、高価な薬を継続して買えるほどではなかった。けれど薬を飲まず放っておけば病気は進行し、男爵は死んでしまう。ニナは切羽詰まって、そしてその時にフィオーナが送り返せと言った宝石を手にして——魔が差してしまったのだ。

けれど、良心が咎めて換金《かんきん》することができず、遅ればせながら元の贈り主に返送しようと思っていた矢先の発覚だった。

涙ながらに懺悔《ざんげ》し、謝罪し、そして厳罰《げんばつ》を覚悟するニナを前に、フィオーナは迷った。目の前にあるのは、まさしくアルヴァンが例題として挙げた事例そのもので、だからフィオーナは自分がするべきことが分かっていた。ニナを盗人として警護の兵士に引き渡し、犯した罪に相応しい罰を与えるのだ。

……けれど、フィオーナはそうしたくなかった。こんなことになってもニナに対する信頼も好意も失っていなかった。怒りもなかった。ただ、悲しかっただけだ。こんなことをする前に一言でいいから相談してくれれば、と。

フィオーナ付きの侍女の中でも第一侍女のアーニャは彼女より十歳も年上で、侍女というより姉という感じに近い。第二侍女のレノアは気が強く和を乱しがちで、少々接し方に苦慮していたこともあって、フィオーナは同い年で明るくて気立ての良いニナに一番親しみを覚えていた。だからどうしても彼女を罰したくなかった。

フィオーナは情と義務とで迷い、そして結局情を取った。ニナの罪を許し、他言しないようにとその場にいたアーニャとレノア、それに護衛の兵——奇《く》しくもそれは森の散策の時に狼によって負傷したあの兵士だった——に言い含めた。

『姫様はお優しすぎます』

彼らは——特にレノアは渋い顔をしたが、フィオーナの決断に従いニナは無罪放免となった。だが、許したといっても罪を犯したニナをこのままフィオーナの侍女として使うわけにはいかない。フィオーナとしては侍女を続けて欲しかったが、これにはアーニャもレノアも反対して引かなかった。

結局、ニナはフィオーナの侍女を外され、別の部署に異動となった。

それでも破格の恩情だとアーニャとレノアは言う。でもフィオーナはもっとニナの力になりたくて、こっそり裏から手を回してニナの父親に高価な薬が届くように手配したのだった。その薬と、のちにはアルヴァンが自ら調合した薬のおかげでニナの父親は命を取り留めた。

ニナには深く感謝され、一件を知る者たちはフィオーナをますます賞賛した。

『お優しくて慈悲深い王女様』

けれど、そう言われるたびにフィオーナの心は沈んだ。情を取ったが、それはアルヴァンの教えを無にする行為だったからだ。それに、どこかで自分を悪者にしたくない、評判に恥じない自分でいたい思いもあった。公的な利ではなく自分の利を取ったのだ。

フィオーナはニナが去っていった方角を見つめて、瞳を翳《かげ》らせた。

ニナを許したことを後悔しているのではない。今でもあの時の決断は間違っていなかったと思っている。けれど、王女として、そして次期女王としてはフィオーナのしたことは正しくなかった。

……アルヴァンが求めるような王になろうと誓ったのに、結局こうして自分は情に流されてしまう。

最悪なのは、フィオーナの行いをアルヴァンにも知られていたことだ。

ニナの事件が起こったのはアルヴァンが留学から帰ってくる直前のことだった。ニナの罪を知る人間には口止めしていたから誰にも知られていないはずだったのに、留学から帰ってきたアルヴァンはなぜかそのことを知っていたのだ。

「ニナ・クレインを無罪放免にして、そのうえクレイン男爵に薬を送っているそうですね」

三年間の留学期間を終えたアルヴァンが帰国の挨拶に来た時、不意にその話題を出され、彼との再会を喜んでいたフィオーナは冷や水を浴びせられた気がした。

「それは……」

彼の顔が見られなくて目をそらす。なぜ外国にいたアルヴァンが父王すら知らないことを知っているのだろう？

「やれやれ、相変わらず……仕方のない方ですね、あなたは」

アルヴァンは苦笑を浮かべると、ふぅと小さくため息をついた。それはかつて教育係を始めた頃の様子とは違い、どこか安堵の色を含み、その口調もフィオーナを見る目も優しげですらあった。けれど顔を背けていたフィオーナはそれに気づくことなく、自分を恥じていたこともあって咎められ呆れられたと思った。

三年経っても変わらない。相変わらずフィオーナは彼にとって女王に相応しくない不出来な生徒なのだろう。フィオーナはそれ以来彼の顔を見返すことができなくなった。

せっかく会いにきてくれても理由をつけて断ってしまうことが続いた。そのうちに彼は訪ねてきてくれなくなった。フィオーナは後悔したが、もう遅かった。

一方、アルヴァンは留学から戻ってすぐに、病気を理由に勇退した父親の跡を継いでレイディス侯爵位と宰相の地位に就いた。そして次々と改革を行い、オクロットにこの人ありと言われるまでになった。

彼の活躍はまるで自分のことのように嬉しかったが、フィオーナはアルヴァンが名声を得ていけばいくほど、自分の至らなさが情けなく思えて仕方なかった。彼女は自分を恥じた。ますます顔を合わせづらくなった。あの紫の瞳に自分への非難や侮蔑《ぶべつ》が浮かんでいるのを見たくなかったのだ。

それまで彼女は少し期待していた。三年でフィオーナは少女から大人の女性へと成長し、前よりずいぶんしっかりしてきたと思っていた。だからアルヴァンも少しは大人としての自分を見てくれないかと、どこかで期待していたのだ。

けれどフィオーナは、身体は成長したが、それだけだった。相変わらず優しい慈悲深いだけのお飾りの王女で、アルヴァンの期待に応えるほどの才覚はない。認めてもらえるはずはないのだ。

いたたまれなさにフィオーナは、アルヴァンをますます避けるようになっていた。

――そう、あの時もせっかく話しかけてきてくれたのに逃げてしまった。

「それはあの時のセンナの花ですね。ずいぶん育ちましたね」

アルヴァンが帰国して半年が過ぎた頃のことだ。フィオーナは中庭の花壇にいた時に通りかかった彼に声をかけられた。その時ちょうどアーニャは庭師のところに行っていて席を外していたため、たまたまフィオーナは一人でいた。

「は、はい。そうです」

フィオーナは俯いたまま答える。このセンナは二人にとって思い出の花だ。あの森での散策の帰り道にフィオーナが根ごと持ち帰って植えたものだった。アルヴァンには土が違えば育たないだろうと言われていたが、幸い土が合ったのか、順調に育ち数を増やしていた。

『ほら、アルヴァン。土が違ってもちゃんと育ちましたよ』

三年半前のフィオーナなら屈託なくそう言えただろう。けれど、この時のフィオーナは顔すらあげられないでいた。

「センナの花はデリケートで、栽培はとても難しいのですが、王女様のお世話がよかったのですね」

「そ、そうでしょうか」

フィオーナはぎこちなく答える。こんな気の利《き》かないことしか言えない自分が嫌だった。けれど焦って言葉を発しようとしても何を言ったらいいのか分からないのだ。

俯いて黙っていると、アルヴァンが話題を変えた。

「ところで陛下に差し上げた薬の方はどうですか?」

それはつい先日アルヴァンに処方してもらった父王の喘息の薬のことだった。フィオーナはパッと顔をあげた。

「とてもよく効くそうです。あれ以来一度も喘息の発作は起きておりませ……」

すぐ間近であの印象的な紫の瞳が自分を見ていることに気づいて、フィオーナは顔をそむけた。目が合ったのは一瞬だけ。それでも心臓が飛び出してしまいそうなほど激しく鼓動が鳴り響き、彼にも聞こえてしまうのではと思った。

「それはよかった。薬は定期的にお手元に届けますので、王女様から陛下に忘れずに服用するようにお伝えしてください」

「は、はい。私が責任持ってお父様に飲むように取りはかります」

「お願いします。それで、王女様、その薬のことですが……」

そう言いながらアルヴァンがフィオーナの方に更に一歩踏み出す。フィオーナは思わずビクッと身を竦ませた。彼に怯えたからではなくこの心臓の音が聞こえてしまうと思ったからだった。

「あ、あの、ごめんなさい。私、予定がありますから、もう行きますね」

フィオーナはアルヴァンの顔を見ずにそう言うと、ドレスの裾を翻《ひるがえ》してその場から立ち去った。何か言いかけた彼を一人残して。

アーニャがいそうな方に足早に向かいながら、フィオーナは自分の情けなさに落ち込んだ。せっかくアルヴァンが話しかけてきてくれたのに、自分はろくに返答しないで逃げ出してしまった。なんという失礼な態度を取っていることか。けれど、その頃はアルヴァンの姿を見ただけで逃げ出すのが習い性になっていた。なんて意気地なしなのだろう。

アルヴァンの姿が見えなくなったところで立ち止まり、呼吸を整えながら、フィオーナは、でも、と考える。これからは父王の薬のことでアルヴァンと少しでも接点が持てるのだ。お礼状を書いたり、その手紙にちょっとした贈り物を添えても別におかしいことではないだろう。

「何がいいかアーニャに相談しましょう」

気をとり直してそう呟くと、フィオーナは再び歩き始めた。

この時フィオーナはすっかり疎遠になってしまった彼との繋がりができたことに浮かれていた。そして自分の気持ちのことに精一杯で、彼女に避けられ続けているアルヴァンが自分の態度をどう思うかということに考えが至らなかった。

——フィオーナは知らない。この時一人取り残されたアルヴァンが、逃げていく彼女の背中を見つめながら呟いていた言葉を。

「傍に寄られることすら耐えられないほど私がお嫌いですか、フィオーナ」

アルヴァンはフィオーナが視界から消えるまでその姿を見送った後、足元に広がるセンナの花を見下ろした。デリケートで可憐な花はどこか彼女を思わせた。

そっと屈みこんでその花を数本摘むと、手のひらに載せてじっと見つめる。

「……薬と共に言付けておかないといけませんね。『陛下のその薬は毎日欠かさず飲ませる様に』と」

感情の篭もらない声で呟いた直後、アルヴァンはその手をぐっと握り締めた。小さな花は彼の手の中でぐしゃっとつぶされていく。

「……あなたが嫌がろうと関係ない。私は欲しいものを手に入れるために必要なことをするまでです」

そっと拳を開くと、手のひらには無残にも握りつぶされ、ひしゃげた赤い花の残骸があった。それを見下ろすアルヴァンの目には昏《くら》い光が宿っていた。

＊＊＊

「王女様」

ニナと別れた場所で立ち止まったまま過去の思い出に耽《ふけ》っていたフィオーナは、呼びかける声に気づいてハッと顔をあげた。目の前にはまるで今まで思い返していた過去から抜け出たように、自分を見下ろすアルヴァンの姿があった。

フィオーナはアルヴァンと教育係として出会ってからの五年近くの間に少女から大人に変わった。けれど会った時すでに成人していた彼の姿はほとんど変わっていない。

……変わっていないのに。大人になってもその差は少しも埋まっていない。いつだって彼は先に行っていて、フィオーナは置いていかれるばかりだ。

今この国を動かしているのはもはや父王ではない。アルヴァンだ。先ほどの父王と彼の会話を聞いてそのことがよく分かる。

「アルヴァン……」

「ニナから王女様がこちらに一人でいらっしゃると聞きましたので」

にこりともしないでそう告げる彼の手には先ほどニナが手にしていた書類があった。きっと廊下でばったり顔を合わせてその時に書類とともにここでフィオーナと会ったことを聞いたのだろう。

「先ほどはどうもありがとうございました」

アルヴァンはフィオーナに軽く頭を下げた。先ほどというのは父王に書類を見るように言った件のことだろうか？

フィオーナは彼と視線が合わないようにそっと目を伏せながら答える。

「いえ、あの……たいしたことではありませんから。それよりもお父様がごめんなさい。あなたに負担ばかりかけて……」

「それが私の仕事ですから、王女様はお気になさらずに」

アルヴァンはさらっと流し、「それよりも」と続けた。

「城の中といっても何が起こるか分かりません。あなたのような身分の方が一人でいるのは感心しませんね」

「そ、それは……」

咎めるような口調に、フィオーナは身を縮ませた。

「まぁ、今回はあなただけのせいでないのは知っていますが。レノア・セルノールの最近の勤務態度については私も聞き及んでおります。今日も遅刻してきたそうですね。それであなたは供《とも》もつけずに城の中を歩くことになった」

レノアの名前を聞いて、フィオーナは慌てて顔をあげた。レノアが遅刻を理由に侍女を辞めさせられてしまうのではと恐れを抱いたのだ。

「ま、待ってください。供はいらないと私が言ったのです」

けれど、アルヴァンはフィオーナの言葉にふぅと小さなため息を漏らすのだった。

「相変わらず、あなたは優しすぎる。そして……他人のためなら見たくもない私の顔をちゃんと見返すのですね」

「え……？」

フィオーナは目を見開いた。見たくもない……？

けれどそれについて問い直すことはできなかった。アルヴァンが先ほどより更に厳しい声でこう言ったからだ。

「でもその優しさがあだとなっている。レノア・セルノールはあなたが優しくて咎めだてしないのにつけ込んでいるのです」

フィオーナはそっと唇を嚙んだ。それは前から少しは感じていたことだ。レノアはフィオーナならば遅刻くらいで咎めたり、クビにしたりしないだろうと思っている。だからこそ何度もアーニャに注意されても平気で遅刻してくるのだろう。

「何か問題が起こる前に正さないといけません。分かりますね？　でなければ彼女をあなたの侍女から外すように侍女長に言います」

「……はい」

まるで教育係と不出来な生徒に戻ったかのようだった。叱責《しっせき》されて、フィオーナは悲しい気持ちでいっぱいになった。

「厳しいことを言ってすみません。けれど、誰かが言わねばならないことですから」

「いいえ。あなたの言うとおりですから……」

彼の言っていることは正しい。レノアの勤務態度は問題がある。そしてそれは主であるフィオーナの責任でもあるのだ。

「これだからあなたにますます嫌われるのでしょうね。しかし……」

アルヴァンは何か言いかけたが言葉を止め、表情を改めてフィオーナに頭を下げた。完璧な形の礼だった。

「いろいろと言って申し訳ありませんでした。それでは私はこれで失礼します」

「あ……」

そして、さっさとフィオーナに背中を向けて歩き出してしまう。呼び止める間もなかった。

フィオーナはその後ろ姿を呆然と見送った。

「……違う、のに……」

彼女は今ようやく自分の態度が彼にずっと誤解を与えていたことに気づいた。フィオーナは好きだからこそアルヴァンと顔を合わせることができなかったが、彼はそんな彼女の気持ちを知らない。彼はフィオーナが避けていることに気づいていて、目を合わせようともしない彼女に嫌われていると考えるのは当然のことだった。

「違います。違います、嫌ってなんか……！」

けれど、そう言葉にできた時はすでにアルヴァンの姿はなかった。

自分の心を守ることだけに精一杯だったフィオーナは、知らない間に彼に失礼な態度を取り、そしてきっと傷つけていたのだ。彼がフィオーナを認めてくれないのも当たり前だ。

フィオーナは胸の前でぎゅっと両手を握り締めて決心した。

このまま誤解されていいわけがない。次に話す機会があれば、嫌っていて顔を背けているのではないことを伝えよう、そう思った。

――けれど、その後、なかなか二人きりで話す機会に恵まれず、誤解を解くことができないままになることをこの時のフィオーナは知らなかった。

そして、フィオーナのもとを離れて人目のない廊下を歩くアルヴァンが薄く笑って言っていた言葉も。

「嫌われていようが構いません。その心すら壊してあなたを手に入れるまでです」

彼はクスクスと笑った。実に魅惑的に、それでいてどこか狂気を感じさせる笑みを。

アルヴァンはうっとりと目を細めて呟いた。

「もうすぐです。もうすぐあなたが手に入る。フィオーナ」

――フィオーナの周りで少しずつ何かが動き始めていた。

第三章　脅迫

……変わらないと思っていた日常が壊れるのは突然で、そしてあっという間だった。

運河の工事が開始されて一か月ほど経ったある日、フィオーナの父王であるオクロット国王は、自室である男を迎えていた。

「おお、戻ったか、オードウィン伯爵」

「お久しぶりでございます、陛下。本日外遊から戻りました。すぐにでも陛下にご報告をと思いまして、はせ参じた次第です」

そう言って椅子に腰掛けた王に恭しく頭を下げたのは、外務大臣を務めるグフタス・オードウィン伯爵だ。彼は今年五十歳になる初老の男性で、白いものが交じった黒髪に、やや恰幅《かっぷく》の良い体格をしている。

彼はここ一か月ほど周辺諸国へ視察に出ていて、今日オクロットの城に戻ったばかりだった。

「うむ。ご苦労だったな。で、首尾は？」

声を落として国王が尋ねると、オードウィン伯爵はにやりと笑った。

「シュバール国の国務大臣と話をすることができました。こちらの提案にたいそう興味を持ってくださいましてな。第三王子のエリオス殿下はどうかという話をいただきました」

「おお、そうか！　第三王子のエリオス殿といえば、確か……二十六歳であったな」

王は喜色を浮かべ、シュバール国の王族の情報を思い出しながら呟いた。

「はい。王位継承権はありますが、第一王子や第二王子がおられますからね。殿下は未婚ですし、御年からしても一番の適任かと思います」

「そうだな」

「国務大臣があちらの王族方や重臣たちへの根回しをしてくださるそうです。あとはこちらの状況を良い方へ……」

王は難しい顔をして頷いた。

「うむ。そうだな、議会や宰相たちが反発するのは目に見えているからな。何とかうまい表向きの理由を考えねばならない」

「そのことですが……」

オードウィン伯爵は身を乗り出し、声を潜めて言った。

「ひとまずはわが国の視察名目で招待するというのはいかがでしょう？」

王の顔がパッと輝いた。

「それはいい案だな！　フィオーナの名は一切出さずに外国の王子の訪問という形であれば、宰相や議会も反対はできまい。そしてゆくゆくは……」

「ええ、ゆくゆくは……」

そう二人して笑い合った時だった。急に王が胸を押さえて苦しそうな呻《うめ》き声をあげた。顔色は瞬く間に土気色《つちけ》に変わっていく。

「陛下……!?」

オードウィン伯爵は仰天した。何が起こったのか分からず、しばらくの間、動くことができなかった。ようやくハッとして王のところへ駆け寄ろうとしたが、彼の手が届く前に王の身体は傾いで床に転げ落ちていく。

王が人払いをしてあったために、今部屋には誰もいなかった。オードウィン伯爵は慌てて戸口へ向かった。

「誰か、誰か来てくれ！　陛下が！　陛下が！」

王は痛みと苦しみの中、その声を遠くに聞きながら自分の意識が闇に沈んでいくのを感じていた。


その一報がフィオーナにもたらされたのは、孤児院のバザーでの売り物にしてもらおうと、自室でハンカチーフに刺繍をしている時だった。

「姫様！　姫様！　大変です！」

いつもは冷静で礼儀に煩《うるさ》い侍女長が転がるように部屋へ飛び込んできて、目を丸くするフィオーナとアーニャに叫ぶように言った。

「陛下が、陛下がお倒れになりました！」

「……お父様が……？」

呆然とするフィオーナの手からハンカチーフが滑り、床に落ちていった。

侍女長に案内されて、フィオーナは動揺した状態のまま急いで父王の自室に向かう。

——一体、何が？

王はオードウィン伯爵との会談の途中にいきなり倒れたのだという。意識がなく、今医者に診てもらっている最中らしい。

フィオーナはもどかしげに廊下を急ぐ。小さな城なのに、これほど遠いと思ったことはなかった。

父王の部屋に入ると、中にはベッドに寝かされた父王と、主治医、心配そうに見守っている侍従長、それに所在無げに立っているオードウィン伯爵がいた。

「お父様……！」

フィオーナはベッドに駆け寄った。けれど父王は息をしているものの、フィオーナの呼びかけには無反応で目をつぶったままだ。

「先生、お父様は？」

「依然として意識不明の状態です」

　主治医の顔色は優れない。表情も曇ったままだ。父王の具合はよくないのだと察せられてフィオーナは不安でいっぱいになった。

「いったい、何が起こったのです？」

　フィオーナは部屋の隅に佇むオードウィン伯爵を振り返った。伯爵はフィオーナに視線を向けられてしどろもどろに答えた。

「か、海外視察から帰国したことを陛下にご報告していたのです。そ、そうしたら突然陛下が胸を押さえてお倒れになって……」

「胸を？」

　フィオーナが主治医に視線を戻すと彼は重々しく頷いた。

「心臓です。陛下の心臓は非常に弱っておいでです」

　そこで侍従長が初めて口を開いた。

「実は……しばらく前から陛下は胸に痛みを感じていたようです。けれど、何でもない、医者は呼ぶな、他言するなと仰って……。申し訳ありません。私がもっと早くにお伝えしていれば……！」

　悲痛な表情で言う侍従長にフィオーナは頭を横に振った。

「いいえ、あなたのせいではありません。お父様がそうしろと言えば従わないわけにはいかないのですもの」

侍従長の口ぶりから言っておそらく父は何度も胸に痛みを覚えていたのだろう。そのたびに侍従長は忠言したけれど、父王はそれを退け続けたのだ。父王に頑固《がんこ》な一面があるのをフィオーナはよく知っている。

「意識が戻ればよいのですが……戻らなければ……」

主治医が言葉を濁《にご》す。意識が戻らなければ父王はこのまま死んでしまうのだ。

「お父様……！　お願い目を覚まして……！」

フィオーナは震える声で呼びかける。けれど父王はぴくりとも動かなかった。

——このままもしお父様が亡くなってしまったら……。

フィオーナの心が恐怖でいっぱいになる。唯一の家族を失うこと、父王がいなくなれば自分が王座につかなければならないこと。それらへの不安と怯えが一度に押し寄せて、目の前が真っ暗になった。

「お父様……！　お願い……！」

大きな目に涙が盛り上がり、父に取りすがって泣こうとしたその時、耳にその声が飛び込んできた。

「落ち着いてください」

「……アルヴァン……？」

フィオーナが恐る恐る振り返ると、いつの間に部屋に入ってきたのか、アルヴァンの姿がすぐそばにあった。

「ここで取り乱してはなりません。陛下のお身体にも障《さわ》ります」

その言葉にフィオーナはハッとする。今彼女は父王に取りすがって揺り動かそうとしていた。その行為が心臓の弱っている父王の身体に良いわけがないのだ。

「私……」

フィオーナは震えた。自分の愚かな行為に落ち込む一方でどうしたらいいのか分からず混乱していた。今は右も左も分からない暗闇にいるような気分だった。

そんな彼女にアルヴァンは淡々と諭す。まるで教育係と生徒だった時のように。

「王女様。お気持ちは分かりますが、落ち着いてください。陛下はまだ生きています。亡くなったわけではないのです。それなのに、今あなたが取り乱してどうしますか？」

「アルヴァン、私……」

「あなたは王女です。そして次の女王になる身だ。陛下が身動きが取れない今、我々にとってはあなたが頼りなのです。そのことを決して忘れてはいけません」

静かな声に、凪《な》いだような紫色の瞳。それを見つめているうちに怯えていたフィオーナの心が落ち着いていった。

――そうだ。私がしっかりしなければどうするの？

「はい。アルヴァン」

フィオーナは頷いた。その青い目は潤《うる》んでいたが、先ほどの混乱したような色はなく、静かな決心に溢れていた。

アルヴァンはそれでいいというように頷くと表情を改めて言った。その顔は教師というより宰相としての顔になっていた。

「嘆くより先にあなたにはやらねばならないことがあります」

「やらねばならないこと？」

「はい。王の名代を務めていただきたいのです。大半のことは私や大臣たちでも代行できますが、どうしても王でなければならないこともあります。それをあなたにお願いしたい」

フィオーナは頷いた。

「はい。私でできることであれば何でもします」

「よろしくお願いします」

フィオーナの返事にふっと表情を緩めると、アルヴァンは次にオードウィン伯爵に声をかけた。

「オードウィン伯爵。大至急主だった大臣たちを集めてもらえますか？　これからのことを話し合う必要があります」

「わ、わかった」

普段はアルヴァンに敵意を抱き、何かと反対するオードウィン伯爵だったが、この時ばかりは文句も言わずに従った。足早に部屋を出て行くオードウィン伯爵の姿を見送った後、アルヴァンはフィオーナに向き直って頭を下げる。

「それでは私も行きます。会議で決まったことは後でお知らせに伺いますので、王女様は陛下についていてさし上げてください」

「はい。……ありがとうございます、アルヴァン」

部屋を出て行くアルヴァンの背中を見つめながら、フィオーナは深い安堵を覚えていた。アルヴァンがいれば大丈夫。彼がきっと助けてくれるだろう。そう思った。

ベッドで横たわる父王の手にそっと触れながらフィオーナは囁いた。

「お父様……。私、お父様が元気になられるまで名代として頑張ります。だから……早くよくなってください」


――フィオーナのその願いが届いたのか、父王は数日後意識を取り戻した。けれど、またすぐに意識を失い、その後は予断を許さない状態が続くことになる。

＊＊＊

国中に国王の病気静養が伝えられたが、幸いにも政治や国民の間に目立った混乱は起きなかった。

皮肉なことに、政務から遠ざかっていた国王を補うように、アルヴァンと重臣たちが環境を整えていたおかげだった。

　国王の名代となったフィオーナにとっても、父王が必要最低限行っていた仕事を引き継ぐだけでよかったのは幸いだっただろう。

　彼女の仕事は外国の要人と会うこと、そして国王の認可を必要とする書類に署名をすることに限られた。

　それでも経験のないフィオーナにとっては戸惑うことばかりだったが、アルヴァンが補佐してくれるおかげで何とか名代としての役割はこなせていた。

「アルヴァン。助けてくださってありがとうございます」

　父王が倒れてから十日ほど経ったある日、フィオーナは王の執務室でペンを止めてアルヴァンに言った。

　父王が倒れたことで負担は増しているだろうに、アルヴァンは宰相という立場からか、フィオーナにつきっきりで助けてくれていた。今彼は、フィオーナが使っている王の執務室に自分の机を持ち込み、彼女を補佐する傍ら自分の仕事を行っている。

　こうして机を並べて一緒に仕事をするようになり、フィオーナは彼が非常に優秀な宰相であるということを再認識することになった。

　フィオーナに持ち込まれる二倍……いや三倍もある書類を、手を止めることなく目を通しては処理していく。それでいてフィオーナが内容を理解できず手を止めているとすぐに気づき、助けてくれる余裕もあった。

フィオーナは名代を始めてから一度だけ朝議に参加したことがあるが、アルヴァンの意見をまとめあげるその手腕は感心するのを通り越して恐ろしいほどだった。

彼は穏やかな笑顔と理路整然《りろせいぜん》とした論理で反対意見や無益な発言をばっさり切り、巧《たく》みな話術で自分の思うとおりの結論に導いていくのだ。それでいて、有益な意見については否定せず聞き入れる柔軟性も持ち合わせている。

だからこそ敵も多いが、味方も多いのだ。

その彼が補佐についてくれているのは心強いことだった。彼がいなかったらフィオーナはどうしたらいいか分からなかったし、この国も大混乱に陥っていただろう。

本当に感謝してもしきれない。

そう思い、フィオーナは書類に目を落としているアルヴァンに声をかけると、アルヴァンはうっすらと微笑んで答えた。

「それが私の仕事ですから」

「それでも感謝しています。アルヴァン」

フィオーナも彼の笑顔につられるように微笑んだ。

こうして一緒に仕事をするようになって以来、彼はフィオーナに笑顔を向けることが多くなった気がする。教育係をやっていた時はほとんど笑うことがなかったのに……。

彼に少しでも認めてもらうことができたのだろうかと思い、フィオーナは嬉しさを隠せなかった。

「この十日間、どれほどあなたに助けられたことか。あなたがいなかったら、私もこの国も、きっと大混乱に陥っていたことでしょう。どんなに感謝してもしきれません」

フィオーナはアルヴァンに感謝の眼差しと明るい笑顔を向ける。目の前の男が、フィオーナのその言葉を待っていたことも知らずに。

アルヴァンは宰相という立場を利用して、他の大臣や貴族たちがフィオーナに一切近づけないようにしていた。国王の名代としてフィオーナに行わせている公務もすべて彼を通さなければならないことばかりで、フィオーナが彼だけを頼るように仕向けていたのだ。

「あなたが宰相でよかった。アルヴァン、これからもオクロットのために力を貸してくださいね」

フィオーナは彼が「はい」と答えてくれると信じて疑わなかった。

しかしアルヴァンはにっこり笑ってこう答えた。

「王女様、あなたが私を望んでくださるなら、喜んで。……けれど、条件があります」

「条件？」

フィオーナは目を瞬かせる。まさかアルヴァンがそう言ってくるとは思っていなかったのだ。

「はい。条件です」

アルヴァンは椅子から立ち上がり、机を回ってフィオーナの方に足を向けながら続けた。

「それを叶えてくださるなら、私は今までどおりこの国とあなたに生涯を捧げましょう」

フィオーナは、彼が柔和な笑みを浮かべているのを見て、そんなに難しい条件ではないだろうと考え、気軽に尋ねた。

「その条件とは何ですか？　私でできることなら何でも言ってください」

「……何でも叶えてくださると？」

フィオーナの前に来たアルヴァンは笑顔のままフィオーナを見下ろした。見上げたフィオーナはそこで初めて、彼の紫色の瞳に浮かんでいる感情に気づく。それは熱っぽくもあり、そしてどこかほの昏い欲情を秘めていた。

フィオーナの背筋にゾクッと震えが走る。

アルヴァンは、フィオーナの耳に口を寄せて囁いた。

「条件は……あなたです。王女様」

「……え……？」

フィオーナは思わず目を見開いた。

「あなたを私にください。そうすれば私はこのままここに留まり、あなたの支えとなりつづけます」

「……あの。それは……どういうこと、ですか？」

フィオーナは混乱していた。何を言われたのかすぐに分からなかった。

――私が条件？　私が……？

一瞬、フィオーナの夫になりたいと言われているのかと考えたが、それはすぐに却下する。彼にそんな気はないだろう。

……だったら一体……？

彼女の戸惑いを楽しむようにアルヴァンはクスクス笑った。

「本当に分からないのですか？　さすがにその年だったら、男女の交わりのことも教えてもらっているはずですが。それとも――それも私が教えるべきですかね？」

「男女の交わり……」

言葉を口に出した直後、フィオーナの頬が赤く染まった。

「まさか……」

教養の一環として夫婦が――いや、男と女が閨《ねや》の中でする行為のことは教えられていた。

まさかアルヴァンが求めているのは、その交わりのこと……？

アルヴァンは魅惑的に微笑みながら、フィオーナの顎《あご》を掬《すく》い取った。

「そうです。王女様、私はあなたが欲しいと、そう申しているのです」

「嘘……」

信じられなくて思わずかすれた声が漏れる。

「嘘ではありません。前に約束してくれたではありませんか。留学から戻ってきてくれるなら望みを叶える。私でできることなら何でもします、と。私の望みはあなただと言っているのです」

アルヴァンは笑みを浮かべたまま親指で彼女の唇を撫《な》でた。その感触にフィオーナの唇がわなく。

その震えが全身に伝わったその瞬間、フィオーナは悟った。彼は本気だ。フィオーナに意地悪をするつもりや冗談で言っているのではない。本気でフィオーナをよこせと言っているのだ。

それも、王配にしろとかフィオーナの心が欲しいと言っているのではない。彼が欲しいというのはフィオーナの身体。ただそれだけだ。

フィオーナは頭をガンと殴られたような衝撃を受けた。

確かに四年半も前、留学したまま戻ってこないつもりの彼を引きとめたくてそう言った。けれど、それを今持ち出された上に、まさか彼がそんなことを言い出すなんて……！

アルヴァンはフィオーナが自分の言葉を理解し、衝撃を受けたのを見て取ってから再び囁いた。最初よりもっとあからさまな言葉で。

「あなたが私にその身体を捧げてくれるのなら、宰相としてあなたの力になると誓いましょう」

「それは……」

フィオーナは自分の中で何かが砕け散るのを感じた。きっとそれは五年近くもの間、胸に抱き続けた彼への淡い想いだったに違いない。

フィオーナは震えながら問いかけた。

「もし、私が断ったら……？」

アルヴァンはにっこり笑ったまま残酷なことを告げた。

「宰相の地位を辞してこの国を出ます。後のことは残された者が勝手にやればいい」

「そ、んな……」

彼がいなければこの国はやっていけない。父が倒れている今、フィオーナ一人では支えられない。彼女はお飾りに過ぎないのだから。

「それは、脅し、ですか？」

「脅し？　いいえ、言ったでしょう？　これは脅しではなく、契約です」

身体を差し出さなければこの国を見捨てると言うことの、何が脅しでないというのか。

「さぁ、フィオーナ。どうしますか？」

フィオーナの顎を掴んだままアルヴァンが答えを促す。

彼がいなければこの国は立ちゆかない。

……彼女が出せる答えは一つしかなかった。

そしてそれを彼は知っている。フィオーナが受け入れるしかないと分かっていて選択を迫っているのだ。

「卑怯者……！」

フィオーナの目に涙が浮かぶ。けれどその詰る言葉もアルヴァンを喜ばせるだけだった。

彼の笑みが深くなる。それは獲物を捕らえ、勝利を確信した者の笑顔だった。

「何とでも。あなたが手に入るなら、卑怯者呼ばわりされようが一向に構いません」

アルヴァンはフィオーナの顎から指を離すと、その手を彼女の目の前に差し出した。

「フィオーナ、選んでください。あなたはどうしますか？」

フィオーナは自分の前に促すように差し出された手のひらを見つめた。この手を取るか、もしくは払うかでオクロットの運命が決まる。

王女として取るべき道は一つしかなかった。

キュッと口を引き結び、フィオーナはその手に自分の手を乗せた。

「……分か、りました。その条件を……呑みます」

「私のものになっていただけるということですか？」

「……はい」

アルヴァンはにっこりと笑うと、小さく震えるフィオーナの手を取って立ち上がらせて、自分の胸へと引き寄せた。その際、かすかな花の香りのようなものが鼻腔をくすぐる。

「相変わらずあなたは優しすぎますね。国のことなど放っておいて、自分のことだけを考えればいいのに。……でもそれができないあなただからこそ、欲しくなる。王になるには優しすぎて向かないくせに、王女としては過度なほどに国を思い、民を思うあなただからこそ……私は犯して、汚して、壊したくなるのです」

情欲の混じった言葉で囁かれ、フィオーナは息を呑む。アルヴァンはそんな彼女の耳元に弧を描いた唇を寄せて非情なことを告げた。

「ではフィオーナ。さっそく今夜からその覚悟を私に示してください」

「……今夜……」

目を見開いたフィオーナの目の端に、執務室の窓から覗く夕暮れの空が映り込む。

――ああ、彼はほんの少しの猶予もくれないのだ。

「あなたの部屋にしますか？　それとも私の部屋までいらっしゃいますか？」

フィオーナは唇を噛み締めた。

自分の部屋なんてとんでもない。大国の姫のようにいつも誰かが部屋の外で待機しているわけではないが、時々警護の兵が見回りに来るのを知っている。彼らが直接部屋に入ってくることはないものの、扉越しに中で行われていることに気づかれてしまう可能性があった。

それに、自分の部屋で彼に無理やり抱かれたら、自室に入るたびにそのことを思い出してしまうだろう。

そうなると、選択肢は一つしかなかった。

「あ、あなたの部屋に行きます。……秘密の通路を通って」

「秘密の通路？」

「……王族だけが知る隠し通路です」

この契約は誰にも知られるわけにはいかなかった。けれど、フィオーナは自分の恥知らずな行いを知られてしまうことを恐れたのではない。もしも事が露見した場合、アルヴァンが罪に問われ罰せられることを恐れていた。彼の身に何かあったら、オクロットは崩壊してしまう。国のためにアルヴァンに身を捧げたのに、何の意味もなくなってしまう。

そうならないために、この関係は誰にも知られるわけにはいかなかった。そしてフィオーナが夜中、誰にも見つからずにアルヴァンの部屋まで行くには隠し通路を使うしかない。

「なるほど、了解しました。それでは今夜、あなたを部屋でお待ちしておりますね、フィオーナ」

アルヴァンは満足そうに言うと、スッとフィオーナから離れた。と、同時に執務室の外から人の気配がして、扉が叩かれる。

「失礼します」

声はフィオーナの侍女、アーニャのものだった。

「フィオーナ様？　アーニャです。そろそろ仕事の終わるお時間なので、お迎えにあがりました」

「仕事は今終わりました。入りなさい」

自分の席に着きながらそう答えるアルヴァンはいつもどおりだった。

＊＊＊

「姫様、おやすみなさいませ」

「おやすみなさい。レノア」

ベッドで上半身を起こし、本を手にしたままフィオーナは微笑んだ。この本を読むからとランプの灯りはそのままにしてもらっている。

レノアが退出し、一人になったフィオーナはその顔から笑みを消して本をサイドテーブルにおいた。

――私はうまく笑えていたかしら？　いつもどおりにできたかしら？

勘の鋭いアーニャではなくて、最近仕事に身が入らないレノアが当番でよかったと思う。今日の自分はきっと少しおかしかっただろうから。

それも当然だ。信頼していた相手に身を差し出せといわれたのだから。

フィオーナは顔をクシャッと歪めた。

まさかあんな言葉がアルヴァンの口から出るとは思ってもみなかった。今でも夢だったのではないかと思うくらいだ。

だが、果たして自分は彼の何を知っているというのだろう？

教育係になっていたほんの短い時間だけのことで彼を知った気になっていた。けれど、それは大きな間違いだった。

脅迫めいた言葉でフィオーナの身体を要求する彼は、まるで知らない人のように思えた。

フィオーナが知っているのはアルヴァンのほんの一面だけ。彼が自分に見せたかった面だけだ。

——あの人は見知らぬ人なのだ。

フィオーナは自嘲《じちょう》の笑いを浮かべるとベッドから降りた。ストールを肩に羽織《はお》り、ランプを手にして姿見へ向かう。

『これは王族だけの秘密だ。知っているのはお前と私だけ。ちゃんと覚えておくのだぞ、フィオーナ。順番があるのだ。これを違えてはならない』

姿見の前で何度も何度も教えてくれた父王の声が蘇る。あれはフィオーナが十二歳くらいの時だっただろうか？

この城には王族だけが知っている秘密の通路がある。王や王妃、王子や王女たちの部屋だけではなくて、城の主要な部屋にも通じている。何かあった時はこの通路を使って逃げられるようになっているのだ。通路のいくつかは城の外へと通じている。

隠し扉の場所と開け方はいくつかのパターンがあるが、もっとも使われているのが壁に埋め込まれた姿見だった。

姿見の前に来たフィオーナはその枠の薔薇の彫刻に手を伸ばした。蕾に触れ、それを押し込むとほんの少しだけ奥に沈んだ感触がした。それをいくつか繰り返す。触れる順番も決まっている。そのとおりに触れて初めて扉の錠が開く仕組みになっていた。

フィオーナが最後の彫刻に触れるとカチッという音がかすかに聞こえた。

どうやら順番は間違っていなかったようだ。数歩だけ後ろに下がると、姿見の右側が壁から離れ、きぃというかすかな音を立てながらまるで扉のように静かに開いていった。

フィオーナはランプを手に、その中へ身を滑らせた。

灯りなどない通路はもちろん真っ暗闇に近い。少しよどんだその中をランプの灯りをたよりにフィオーナは目的の部屋に向かって歩いていく。

アルヴァンが城で自室として使っている部屋にも秘密の通路は繋がっている。あの部屋は代々の宰相が使ってきた部屋だからだ。

もちろん、宰相の中には城の部屋は使わず、城外にある自分の屋敷から通ってきていた者もいて、必ずしも毎年使われていたわけではない。ただ、アルヴァンは自分の屋敷へはほとんど帰らず、ずっと城に詰めていた。……何があってもすぐに対処できるように。

そしてそれは彼の父親である前宰相も同じだった。

フィオーナたち王族は彼らに頼りきりで、ずっとそれに甘えてきた現実がそこからも見えてくる。

だからこれは一種の償いなのだろう。

フィオーナはアルヴァンの部屋へ通じる扉の前に立ち、深呼吸をした。この奥で彼は待っている。フィオーナが契約どおりに身体を差し出すのを。

震える手で閂を外し、取っ手を回して押すと扉は簡単に開いていった。部屋の中から秘密の通路に入るには大変だが、秘密の通路から部屋の中へ入るのはとても簡単なのだ。

できた隙間から中へ滑り込むと、ランプの灯った明るい部屋の中で、男は椅子に腰掛けていた。そして、おもむろに立ち上がって言った。

「お待ちしておりました、王女様」

それは間違いなくフィオーナにとって脅迫者であり初恋の相手でもある男、アルヴァン・レイディスだった。

「そこが秘密の通路の出入り口なのですね」

姿見の前に立ち、興味深そうにアルヴァンは眺める。アルヴァンの部屋の中をつい見回し、大きな薬棚に気づいてしげしげと見ていたフィオーナはハッとした。

「この部屋からは簡単には開かない仕組みです。開錠の方法は王族だけが知っているので……」

「もちろん、尋ねるつもりもありませんから、ご安心を」

アルヴァンはにっこり笑った。その彼の様子はいつもどおりで、フィオーナは契約などなかったかのように錯覚してしまいそうになる。

けれど夜着でここにいることからして、異常な事態には違いないのだ。

「アルヴァン……」

フィオーナは最後の説得を試みる。ここで踏みとどまることができれば、自分たちは今までの日常に戻れる。そう思ったからだ。

「アルヴァン、お願いですから、考え直してはいただけないでしょうか？　今ならまだ引き返せ……」

話の途中でアルヴァンがくっくっと笑っているのに気づいてフィオーナは言葉を止めた。

「ああ、可愛い無垢《むく》な王女様。あなたはこの期に及んでまだそんなことをおっしゃるのですね。引き返せる？　私は引き返すつもりはありません」

「アルヴァン……」

フィオーナの顔がくしゃりと泣きそうに歪む。それを見てアルヴァンはうっとりと笑った。

「あなたのそんな顔が見たかったのです、フィオーナ。私から顔を背けてばかりいたあなたが、私をそんなふうに怯えて泣きそうになって見返してくるのを」

フィオーナはその言葉に怯み、思わず訊ねていた。

「なぜ……私なのですか……？　あなたなら、どんな女性でも手に入れることができるはずです。こ、こんな脅迫などしなくても」

今も昔もアルヴァンは女性に人気がある。有力な王配候補ということで表立って言い寄りはしないが、彼を狙っている女性がたくさんいることをフィオーナは知っていた。一声かければ彼の前に身体を差し出す女など掃いて捨てるくらいいるだろうに、なぜフィオーナをこのような形で無理やり抱こうとするのだろう。

「対価とはいえ、私でなくとも……」

「よりにもよってあなたがそれを私に言うのですね」

　フィオーナは最後まで言うことができなかった。彼女の言葉の何かが気に障ったのか、壮絶な笑みを浮かべたアルヴァンが遮ったからだった。

「他の誰でもない、私をこの地に縛りつけているあなたが」

　その笑みにフィオーナはぞっとし、肩を震わせた。

「いいでしょう。お答えしましょう。なぜあなたなのか……それはあなたが王女だからです」

「王女……だから？」

　意外な言葉にフィオーナは目を見開いた。

「無知で無垢で、優しくて慈悲深い……けれど本当は無慈悲な王女様」

　そう言ってアルヴァンは手を伸ばし、フィオーナの髪の毛のひと房を掬い上げる。その紫の瞳はフィオーナには理解できない感情に揺れていた。

「身体が手に入るのであれば、あなたの心などもうどうでもいいんです」

「……ひ……どい……」

　フィオーナは唇を震わせた。この人にとって自分の心など必要ないのだ。欲しいのは王女としてのこの身体だけ。そんなことはとうに分かっていたのに、フィオーナはその言葉に深く傷ついていた。

「私がそれを求めた時期はとうの昔に過ぎ去りました。ここにいるのは、あなたのせいで狂わされた私です」

アルヴァンはフィオーナの髪の毛を離すと、数歩ほど下がる。その表情はさっきまでの壮絶な笑みが嘘のように凪いでいた。彼がフィオーナによって狂わされたとはどういう意味なのか尋ねようとして口をつぐむ。その静かな表情が逆に怖かった。

しかし、しばらくしてアルヴァンは柔らかな笑みを浮かべてフィオーナに命じる。

「ではフィオーナ。まずはその夜着を脱いでもらいましょうか？　ご自分で」

「自分で……？」

フィオーナは仰天し、首を横に振った。自分から彼の前で裸になるなんて無理だと思った。

「アルヴァン、お願いです……」

震える声でフィオーナは懇願する。けれどアルヴァンが譲ることはなかった。

「フィオーナ、自分から脱ぐのです。でないと私はその夜着を破くことになり、あなたは全裸で通路を通ってご自分の部屋に戻らなければならないことになりますよ」

「アルヴァン……！」

「さぁ、早く」

そう言ってアルヴァンはフィオーナの手からランプを取り上げ、肩に掛けていたショールを剝ぎ取った。あっという間に心もとない状態になり、フィオーナは立ったまま小刻みに震える。

「怖いですか、フィオーナ？　でも数時間もすればあなたは私の腕の中で恐怖など忘れるでしょう。そして、先ほど口にしていた『お願いです』とは別の意味であなたは私に懇願することになる」

「そ、そんなことにはなりません！」

「さぁ、どうでしょう。私は案外あなたは快楽に弱いのではないかと思っています。無垢すぎるがゆえに溺《おぼ》れていくのも早そうだ」

「そんな、そんなことは……」

「そのうち分かりますよ」

アルヴァンは楽しげに目を細めると、フィオーナを促した。

「さぁ、フィオーナ。その服、破かれたいですか？　それともご自分で脱がれますか？」

フィオーナの目に涙が浮かんだ。

「卑怯者……！」

「卑怯者で結構です。卑怯でもなければこの国の宰相など務まりません。大国に搾取され、潰されるだけですからね」

その言葉にフィオーナは胸を突かれた。父王が職務を全うしなかったから、そしてフィオーナが至らないから、この人がすべての責を負っているのだ。

……この人にはフィオーナに何かを求める権利がある。

フィオーナは歯を食いしばり、震える手を夜着の胸元へ伸ばした。胸の下のリボンを解き、肩紐を下げると、夜着はたちまち左右に分かれてただの布と化し、フィオーナの身体を滑り落ちていく。

あっという間に剝きだしになった胸元に外気が触れて、先端が硬くなった。それに気づいて慌てて両手で胸を押さえる。

「まだ残っていますよ」

指摘され、フィオーナは胸を手で隠したままアルヴァンに懇願した。

「灯りを、せめて、灯りを消してください……！」

アルヴァンの部屋はあちこちにランプの灯りがついたままなのだ。昼間ほどは明るくないが、このままでは自分は明るい中で裸体をさらすことになってしまう。

けれどアルヴァンは笑顔で拒否した。

「だめです。初めてですからね、あなたの身体をしっかり見ておきたいのです。それにあなたは男女のことは暗い中で行うものと思っているようですが違います。真昼の明るい中でも互いをさらけ出して愛し合うこともあるのですよ」

「え？」

フィオーナはショックを受ける。アルヴァンの言うとおり、フィオーナは男女や夫婦の営みは、夜の暗闇の中、ベッドでとしか習っていない。

「本当のことですよ。いつか昼間の明るいところで愛し合うことも教えてあげますね」

フィオーナは息を吞んだ。昼間の明るいところで、という発言もだが、この取引が一度で終わらないことを暗に示していたからだ。

自分の考えが甘かったことをフィオーナは悟った。アルヴァンとの契約には期限を設けていなかった。彼が望む限り何度も何度も、そしていつでもフィオーナは彼に抱かれなければならないのだ。

剝きだしの肩を震わせる彼女に気づいてアルヴァンが薄く笑った。

「一度で終わると思っていましたか？　それは甘いですね。もう分かったでしょう？　いつどこでどのように抱くかは私が決めます。あなたは私に従って私の望むようにその脚を開いて私を受け入れればいいのです」

フィオーナの足がガクガク震え出す。そんな彼女にアルヴァンは追い打ちをかける。

「さぁ、全部脱いで私に見せてください。終わらなければいつまで経っても部屋には戻れませんよ。侍女たちが起こしにくる前に帰らなければならないのでしょう？」

「……はい」

そうだ。アーニャが起こしに来る前に自室に戻らなければ大騒ぎになってしまう。

フィオーナは覚悟を決めると、震えながら胸から手を離し、ドロワーズのリボンを解いていく。指をかけて下まで引きおろし、足から引き抜くとフィオーナは胸と陰部を手で押さえながら、アルヴァンから顔を背けた。

「こ、これでいいのでしょう？」

「いいですが……手は身体から離してくださいね。隠すことは許しません」

この人はどこまでフィオーナを辱《はずかし》めれば気が済むのだろう。そんなことはできない、許してと泣き言を言えたら。でもこの人はたとえ泣いたって許してはくれないだろう。

唇を噛み締めながらフィオーナは胸と陰部から手を離した。これでこの身をさらけ出してしまったことになる。

「いい子ですね。もう少し脚を左右に開いて……ええ、そう、そんなものでいいでしょう」

アルヴァンはフィオーナのすぐ目の前に立ってしげしげとその肢体を見下ろした。華奢《きゃしゃ》でありながら豊かに張り出した白くて丸い胸の膨らみも、細い腰も、陰部を覆う黒くささやかな縮れ毛も。丸くてぷるんと張り出したお尻の双丘も。フィオーナはアルヴァンの視線を感じて大事なところを隠してしまいたくなる気持ちと戦った。

視線を感じたからか、胸の先がじわじわと熱を帯びて尖っていく。

「……ぁ、っ……ふっ……」

アルヴァンは手を伸ばし両方の胸の膨らみを掬い上げるように掴んだ。揉《も》むようにこねくり回され、フィオーナは歯を食いしばって漏れそうになる声を抑える。

「華奢なくせに肉感的だなんて、男を夢中にさせる良い身体を持っていますね、フィオーナ。すぐさまベッドで組み敷いてむしゃぶりついて突き入れたいくらいだ。さあ、ここの味はどうでしょう？」

フィオーナは顔を下げたアルヴァンの口の中に自分の胸の先端が消えていくのを呆然と見つめた。

「あっ……！」

次の瞬間、温かくて湿った咥内《こうない》に含まれた先端に歯を立てられて、フィオーナはビクンと飛び上がった。

「感度もいい」

「ふっ、んっ、あ、んぁ」

胸の形が変えられるくらいに片方を揉まれ、もう片方の胸の先端を口で弄ばれ、フィオーナの口からはひっきりなしに呻き声があがった。先端に歯を立てられ、舐めまわされ、きつく吸われ、そのたびにお腹の奥がキュンと疼く。じわりと脚の付け根に何かが染み出してくるのを感じた。

アルヴァンは胸を食みながらその場所に手を伸ばす。

「……あっ！」

フィオーナはいきなり割れ目に触れられて、ビクっと身体を揺らした。

アルヴァンはフィオーナの蜜壷の入り口を中指でなぞり、伸ばした親指で茂みに隠された花芯を探り当て弄りながら、彼女が何度も何度も身体を引きつらせるようにビクビクと悶える様を観察した。

「っ、ぁん、あ、や、や、やめっ、やだ、そこ……！」

フィオーナの開いた脚の内側が引きつった。花芯への愛撫が辛いのか、それとも感じすぎるのか、フィオーナ本人にもよく分からず、どちらとも言いがたい法悦《ほうえつ》の波が次々と襲ってくるのを感じた。フィオーナの足がガクガクと痙攣《けいれん》したようになったのを見て取ったアルヴァンは、手を引き抜き、フィオーナをベッドの端に座らせる。

「んっ、ぁあ……」

息を整えるフィオーナを他所に、アルヴァンはサイドテーブルに出してあった真鍮《しんちゅう》の蓋のついた琥珀色の瓶を取り上げ、蓋を開けると、中の軟膏上のものを手に取っていく。それに気づいたフィオーナは朦朧《もうろう》とした意識の中で小さく尋ねた。

「それは……？　何、ですか？」

「これは痛み止めとして効果のある、センナの雌しべを乾燥させて作った軟膏です。前に森に散策に出た時、少しだけ教えたことがあったでしょう？」

フィオーナは森でのことを思い出し、小さな赤い花のことを頭に浮かべながら頷いた。

「その時にも言ったと思いますが、これは貴族の娘が輿入《こしい》れの時に花嫁道具の一つとして持参されることが多いものなのです。塗ると炎症を抑える効能もあるし、止血効果もある。そして何より痛み止めの効果が目覚しい。まさに破瓜《はか》のための薬と言ってもいいでしょう」

「破瓜……」

フィオーナはごくりと喉を鳴らした。

「そうです。聞いたことがあるでしょう？　個人差がありますが、処女膜が破れる時には相当な痛みを伴うそうです。いつまでも出血が止まらない者もいます。その痛みや出血を軽減させるためにこれをあらかじめ塗ってから性交するのです。高価なので貴族くらいしか手に入らないでしょうけれど」

アルヴァンはセンナの軟膏を右手の指に軟膏をたっぷりと取ってフィオーナの目の前に来ると楽しそうに命じた。

「さぁ、薬を塗るので脚をベッドにあげて開いて。あなたのソコも塗りやすいように広げてください」

「——え？」

とんでもないことを言われたような気がしてフィオーナはアルヴァンを見上げた。アルヴァンは涼しい顔で更に促す。

「私にちゃんと中まで見えるようにしてくださらないと薬は塗れませんよ」

「じ、自分で塗ります、だからっ」

「あなたの指では必要な場所まで届きませんよ。それにあなたの中はとても狭い。さっき満足に指を入れることもできませんでした。だから解しながら入れないと。あなたが自分でやるのは無理でしょう。最初の痛みに怯んでしまうでしょうから。さぁ、ベッドに乗って脚を開いてください。フィオーナ」

「で、でも……」

医療行為とはどうしても思えなくて躊躇《ちゅうちょ》していると、アルヴァンが低い声で告げた。

「フィオーナ。センナの軟膏も塗らず、濡らしたり、解したりすることもせず、今すぐ突き入れられたいですか？　でもそうした場合、あなたは数日間まともに歩けず、椅子に座ることもできなくなるでしょう」

それは警告だった。フィオーナは震えあがった。

「……分かりました。あなたの言うとおりに、します」

フィオーナは涙を浮かべながら脚をベッドにあげると、アルヴァンの方に向かって恐る恐る広げた。

「足を立てて、もっと大きく開いて。そうしてくださらないと奥まで薬が届きません」

「は、はい」

フィオーナは言われたとおり、立てた膝を大きく開いてアルヴァンに見せた。

「いい子ですね」

くすっと笑うとアルヴァンは手にした軟膏をまず花弁にすり込んでいく。

「ふっ……あ、んっ……」

それから蜜口にたっぷり塗りこめると、また瓶から軟膏を指に付けて、フィオーナの蜜壷に手を伸ばす。軟膏とフィオーナの中から染み出た蜜を纏いつかせながら、やがて中指がつぷっと音を立てて中に入り込んだ。違和感と異物感にフィオーナの目にじわりと涙が浮かんで頬を滑り降りる。膝を押さえている手がブルブルと震えていた。

「まずは一本。奥まで押し込みますよ」

アルヴァンの指が宣言どおりに奥までぐっと差し込まれた。そして中に塗りこめるよう

にぐるぐると動かしていく。

「ひゃっ！」

異物感に唇を噛み締めていたフィオーナは、自分の中で蠢《うごめ》く指がある一点を掠《かす》めた時、勝手に腰が跳ね上がり声が漏れてしまうことに仰天した。再び指がそこを掠めるとビクッと身体が反応する。

「ここ、感じる場所のようですね。重点的に塗っておきましょう」

「え？　あっ、ああっ！」

軟膏に塗《まみ》れた指でその場所に執拗《しつよう》に塗りこんでいく。フィオーナは悲鳴を漏らしながら背中をそらし、ビクンビクンと陸にあがった魚のように身体を跳ね上げた。

そしてそれを機に、フィオーナはアルヴァンの指に翻弄されていくことになる。

「ほら、こんなに入りましたよ」

指が二本、三本と増えていき、出し入れする指がぐちゅんとイヤらしい音を立てる。

「あっ、あ、んっ、いや、ああっ、やめっ、そこ弄らないでぇ！」

執拗に攻められるのは中だけではない。蜜壷の少し上にある突起が軟膏をまぶした指でくちゃくちゃと弄られて、嵐に揉まれるような感覚に襲われていた。

そしてそのうちに、フィオーナは指を出し入れされている中だけでなく、外の、軟膏にまぶされた箇所のあらゆる場所がジンジンと不可思議な熱を持ち始めているのを感じた。

「いやぁぁ、熱い……！　熱いのぉ！」

ジクジクした熱に煽《あお》られて気が狂いそうになる。声をあげずにはいられない。身を捩り、涙を散らしながらフィオーナは嬌声《きょうせい》をあげた。

「あっ、あ、あ、や、あっ、ん、ンン！」

ベッドの上で狂ったように身もだえするフィオーナに、アルヴァンも少々驚いたようだった。

「ちょっと効き過ぎですね。媚薬でもないのに、ここまでよがり狂うとは……もしかして、薬に過敏な体質なんでしょうか？」

「あっ、んっ、や、ああっ、ああっ、狂う、狂っちゃう……！　おかしくなる……！」

首を激しく振りながらよがり声を出すフィオーナの姿態を見下ろし、アルヴァンはうっとりした笑みを浮かべた。

「ああ、いい悲鳴だ。いいですよ、フィオーナ。狂っていいんです。一緒に狂って壊れましょう」

眼下では、蜜壷に三本の指を飲み込まされながら、アルヴァンに親指で花芯を押しつぶされたフィオーナが腰を浮かし、背中をそらせていた。

「ああっ、あンッ、んんっ、あ、あ、いやぁぁぁぁ！」

フィオーナは悲鳴をあげて絶頂に達した。

ピクピクと痙攣する身体から手を離し、アルヴァンは服を脱ぎ捨てながら嗤う。

「初めてで中でイクとは。フィオーナ、やっぱりあなたは快楽に溺れるのが早そうだ」

アルヴァンは一糸纏わぬ姿になると、膝を立て大きく脚を開いたままベッドの上でひっくり返っていたフィオーナをベッドの端に引き寄せた。

「もういいですよね？　十分解れたようですし」

己の肉茎を摑み、猛《たけ》った切っ先を荒い息を吐いているフィオーナの蜜壷に押し当てる。

「フィオーナ。あなたの純潔、もらいますよ。いいですか？」

フィオーナは荒い息を吐きながらぼんやりとアルヴァンを見上げた。圧倒的な何かにすべてを押し流され、何も考えられなかった。彼が、アルヴァンが何を言っているのか、頭に入ってこない。ただ、未だにジクジクと熱を持ち疼く場所に何かが押し当てられているのは感じた。先ほど入れられた指よりももっと太いものが。

それが何であるか分からなかったのに、一気に花開いてしまった女としての本能か、お腹の奥がズクンと疼いて切なくなった。蜜があふれてこぼれ落ちていく。

それを見たアルヴァンの口元が弧を描いた。彼は愉悦の笑みを浮かべながら腰を進め、蜜口に猛ったものが押し込んでいく。

「……あっ……くっ……」

圧倒的な質量にフィオーナの身体がピクピクと痙攣した。

その時、ぼんやりとしていた思考がはっきりし、フィオーナは自分の置かれた状況を不意に理解する。

「……あっ、いやっ！」

大きく開いた自分の脚の間から見えるのは、フィオーナ同様何も身につけていないアルヴァンだった。やや細身の、しかし適度に筋肉の付いた肉体は、こんな時でなければうっとりと眺めたくなる姿だったかもしれない。けれどベッドの端に立ったアルヴァンは、今のフィオーナには恐怖でしかない。

「っ、やぁ……！」

ズブとまた少しアルヴァンの男芯がフィオーナの中に埋まる。狭い隘路《あいろ》を押し広げていく質量に異物感が甚だしい。けれど、熱く火照るフィオーナの媚肉は痛みを訴えず、蜜を溢れさせ男の侵入を受け入れていく。

「待って……やめてアルヴァン！」

痛みはなくても、押し広げられ、内臓を圧迫されるような苦しさはなくならず、犯される恐怖を与えていた。一方ではセンナの軟膏の効果で熱を帯びた胎内《たいない》は更なる熱を欲し、熱い塊《かたまり》の侵入を歓迎し、震えるような快感をフィオーナに送り込んでくる。

苦しいのに気持ちいい。心は拒否するのに身体は悦《よろこ》んで受け入れていく。

相反するものがせめぎあい、フィオーナを引き裂いていく。

「あっ……んっ、あ、ぁ……」

「フィオーナ。ゆっくりと私に犯され純潔を失っていくこの時を頭に刻みなさい」

アルヴァンは少しずつ腰を押し出し、ぎちぎちに広がった蜜壷に猛ったものを埋めていく。いつの間にか脚を抱えられ腰を固定されたフィオーナには少しずつ侵入してくる楔《くさび》を避ける術はなかった。

「いや……やめて、やめてぇ……！」

侵入というよりじりじりと侵食《しんしょく》されていくような感覚にフィオーナは怯えた。なのに、身体は心とは裏腹にその侵食を、悦びをもって迎えていく。

背筋を駆け上がるゾクゾクとした快感に、フィオーナはシーツを握り締めながら頤《おとがい》をそらす。

「ああ、フィオーナ、これであなたはもう純潔ではなくなりましたね」

儚《はかな》い純潔の証をアルヴァンの楔が破って侵入していく。しかしフィオーナに痛みはなく、小さな衝撃が走っただけだった。

身体を震わせアルヴァンの肉楔をじりじりと奥まで受け入れていきながら、フィオーナは涙を流した。病床の父王に合わす顔がなかった。

やがて、アルヴァンは動きを止めた。フィオーナは脚の付け根がアルヴァンの腰にぴったりついていることに気づき、ぶるっと大きく震えた。

「フィオーナ。これであなたは完全に私のものだ。ああ、この時をずっと待っていた。ずっとずっとあなたを汚したかった」

アルヴァンは身を乗り出し、涙を流すフィオーナの頬をそろりと舐めた。

「無垢なあなたは思いもしなかったでしょうね。私があなたを目にするたび、あなたが私から目をそらすたびに、こうしてあなたを頭の中で汚していたなんて」

その言葉にフィオーナはショックを受ける。あの涼やかな表情の内側でそんなことを考えているとは思いもよらなかった。だがそれも当然だ。アルヴァンといる時、彼女はアルヴァンを見ないようにしていたのだから。

「優しく慈悲深い王女様。こうしてあなたを無理やり犯し、これからもあなたを陵辱していくであろう私をあなたは許しますか？　それとも憎みますか？」

フィオーナは涙に滲んだ目をアルヴァンに向けた。

「あなたを……憎みます」

許せるわけがなかった。フィオーナは脅されて犯され、純潔を失った。この先、たとえ誰と結婚しようが、まともな夫婦関係を築けるとは思えなかった。

フィオーナは純潔だけでなく、幸せな未来も失ったのだ。

アルヴァンはフィオーナの答えを聞いて笑った。

「それで結構です。優しくて無垢なあなたが唯一憎む相手。それでいいのです。これであなたは二度と私を無視できなくなるでしょうから。……さぁ、もっと愉《たの》しみましょう」

そう言うなり、フィオーナの脚を抱え直すとアルヴァンは腰を動かし始めた。

「あっ、あ、いや！」

フィオーナは悲鳴をあげる。けれど、その悲鳴はすぐに艶を帯びていく。

「あ……んっ、あっ、んっ、ぁああ！」

軟膏によって高められた身体は自分を犯すアルヴァンの肉茎に柔らかく絡みつき、えも言われぬ快感をフィオーナに伝えてくる。

奥を穿《うが》たれ、揺さぶられながら、フィオーナは太い肉茎が生み出す淫悦に溺れていった。

アルヴァンの律動に合わせてベッドの軋む音と、肉と肉がぶつかる音、ズチュズチュとイヤらしい水音が響いてきて耳を犯す。

それが更に官能を押し上げ、蜜を溢れさせる。

背筋を震わせる悦楽に、フィオーナはアルヴァンの楔を熱く締め付けながら何度も達した。

奥を穿たれたまま腰を回され、媚肉をかき混ぜられて身を捩りながら嬌声をあげる。

「嫌だ嫌だと言いながらも、こんなに喜んで……イヤらしい王女様ですね」

アルヴァンに言葉で嬲《なぶ》られて、淫肉を震わせた。

「んっ、あ、や、あぁ……んっ、んんっ、い、ゃ……ぁぁ……」

もうフィオーナは何も考えられなくなっていた。

アルヴァンの硬く張り詰めた肉茎は一層膨らみ、抽挿は徐々に速さを増していく。フィオーナは甘い悲鳴をあげながら激しく揺さぶられた。

「……っ、はぁ、フィオーナ、中に出しますよ。受け取りなさい」

アルヴァンの言葉に、悦楽に染まった思考が引き戻される。彼の言っている意味を理解したフィオーナは震えあがった。

「だ、だめです！　やめて……！」

そんなことをされたら、純潔を失うだけでなく子を孕《はら》んでしまう。父親を明かせぬ子どもを身ごもったと知れたら、どんな騒動になることか。

「やめて、アルヴァン……！」

アルヴァンはフィオーナを揺さぶりながら淫靡《いんび》な笑みを浮かべる。フィオーナは震えあがった。この人はどんな騒動を招くか分かっていながらフィオーナの中に子種を吐き出すつもりなのだ。

「……っ、アルヴァン！　あ、ぁあああっ！」

フィオーナの怯えを含んだ叫びに、アルヴァンは彼女の最奥《さいおう》を抉《えぐ》りながら言った。

「……っ、出しますよ、全部受け取りなさい……！」

「やっ、あっ、ああああぁぁぁぁ！」

フィオーナの悲鳴と共に、アルヴァンの膨らんだ怒張《どちょう》が爆《は》ぜて、先端から白濁《はくだく》が胎内に注がれた。

奥に打ち付けられる灼熱《しゃくねつ》に、フィオーナは背中をそらせて小さく達する。

「あ、っ、ん、ぁあ、ん、んぁ……」

「……これであなたは私のものだ」

ビクビクと身体を震わせながら、フィオーナは目の前が真っ暗闇に包まれていくのを感じた。

アルヴァンは気を失ったフィオーナの中から己を引き出し、ぐったりと横たわる華奢な身体を見下ろした。フィオーナの開かれたままの脚の間から、己が放った白濁がこぽこぽと流れ落ちるのを見て、愉悦の笑みを刻みながら囁く。

「フィオーナ。もっともっとあなたを汚してあげましょう。あなたが壊れて、私のことしか考えられなくなるまで——」


気がつくとフィオーナはアルヴァンのベッドに横たわっていた。

「気がつきましたか？」

アルヴァンの声に慌てて身を起こすと、自分が夜着を身につけていること、そして身体が綺麗に清められていることを知る。けれど、すぐに脚の間から何かが滴《したた》り落ちていくのに気づいて自分を抱きしめながらぶるぶると身体を震わせた。

そこにコップに入った水と、小さく畳まれた白い紙が差し出される。フィオーナは目の前のそれを見つめ、差し出してきた人物を見上げた。

アルヴァンはフィオーナと目が合うと、淡々とした口調で言った。

「私が何の準備もなく中に出すとお思いですか？　妊娠を防ぐ薬です。飲んでください」

フィオーナはその薬と水を受け取り、小さく震えながら紙に包まれた白い粉を口に含み、水で押し流していく。

飲み終わった後も、彼女はずっと震えていた。そんな彼女にアルヴァンは事務的な口調で告げた。

「同じ薬をいくつかお渡しします。私のところに来る前に毎回飲んでください。丸一日効果がありますから、一日一包で大丈夫です」

その言葉はさっきのようなことがこれからもずっと続くことを示唆《しさ》していた。やはりアルヴァンが飽きるか満足するまで、彼はフィオーナを犯し続けるのだ。

でもこれが彼と交わした契約だ。

フィオーナは彼に身体を提供する。彼の望むままに。その代わり、アルヴァンはフィオーナのもとに留まり宰相を続けてこの国を存続させていく。そういう契約だ。

「今日は初めてですから、これで終わりにしましょう。私は自分の執務室に行っていますから、しばらくベッドに横になって身体を休めてから帰られるといい。その間にセンナの軟膏の効力も消えるでしょう」

――センナの軟膏。

今は少し熱いくらいだが、あの時自分を襲った疼くような熱を思い出してフィオーナは震えあがった。これからもアルヴァンはあの薬を使ってフィオーナを陵辱していくつもりなのだろうか。

彼女の恐れを嗅《か》ぎとったようにアルヴァンは薬棚に向かいながら言った。

「センナの軟膏はあなたには変に作用するようなので、二度と使いません。たぶん、薬が効き過ぎてしまう体質なのでしょう。ただの痛み止めで、患部が少し熱くなる程度のはずなんですが……」

フィオーナは頬を染めて俯いた。ただの痛み止めに媚薬のようによがり狂った自分が恥ずかしかった。

アルヴァンは薬棚から戻ってくると白い薬袋を十枚ほどベッドのサイドテーブルに置く。それから上着を摑むと扉に向かった。

フィオーナがその姿を目で追っていると、アルヴァンは扉のすぐ手前で急にフィオーナを振り返った。フィオーナの身体がビクッと震える。

「明日の夜も、薬を飲んでこの部屋に来なさい」

そう言ってアルヴァンは静かに部屋を出て行った。

――この日以来、フィオーナは毎夜アルヴァンのもとを訪れ、身体を開くことになった。

＊＊＊

フィオーナは汚され、無垢ではなくなった。

そしてアルヴァンの予言どおり、心はこの関係を嘆きながら、フィオーナの身体は彼の与える快楽に簡単に溺れた。彼がフィオーナの心に興味などなく、必要としているのはこの身体だけだと知りながら。

「んっ、あ、レノアが、恋人に会いたがっていた、ようなので、早めに下がらせたのです。だから……」

背後から弄びながら、彼女のうなじや肩に舌を這わす。

アルヴァンはフィオーナをベッドで四つん這いにさせ、剝きだしになった胸の膨らみを
「今日は早かったですね」

フィオーナは高まる快感に身を震わせながら答えた。

「やれやれ、あなたは相変わらず甘いですね。彼女を付け上がらせるだけですよ」

「そんな……でも、そのくらいは許してあげても……」

「甘いのと優しさは違いますよ、フィオーナ」

「それは……あっ、あ……んっ」

胸の先端を弄っていたアルヴァンの片手がすっと下がり、フィオーナの敏感な花芯に触れた。巻き毛に隠された蕾はすっかり充血して立ち上がっている。

「あっ、あ、ああっ、はぁ、んぅ……」

その蕾をクニクニと弄ばれながら、フィオーナは背中をそらしてビクビクと震えた。

「フィオーナ。……欲しいですか？」

アルヴァンの淫靡な声がため息とともに耳に触れ、フィオーナは屈する。

「アルヴァン、ああっ、お願い……！」

「いいですよ、フィオーナ。あなたの欲しいものをあげましょう」

白く丸いお尻を突き出したフィオーナの腰を摑んで、アルヴァンは後ろから一気に貫いた。

「あっ、ああっ、ああぁぁ！」

フィオーナの嬌声が部屋に響き渡った。


昼間は王女と宰相として働き。

夜は脅迫者と性の奴隷として交わる。


——それが日常になっていた。

第四章　混迷

父王が重い病に倒れ、フィオーナが王の名代となって一か月半が過ぎた。

王の代わりに外国の要人と会い、週に一度朝議と議会に顔を出し、そして必要な書類に署名をしていく。すべてにおいてやる気が見えなかった王と違いフィオーナがそのどれも真摯《しんし》に対応しているためか、貴族たちや国民の反応はよかった。たいした混乱もなく交代がなされたことも大きいだろう。

そしてフィオーナの努力やアルヴァンの統制のおかげで動揺と不安が過ぎ去ってみると、人々の関心は王女の夫候補に移っていった。

具体的に言えば、どんな時もフィオーナの傍に寄り添い補佐をしている宰相の姿を見て、人々は王配になるのは確実に彼だろうと噂するようになったのだ。

大半の貴族はそれが妥当だと思っていた。アルヴァンは宰相となって一年半だが、その実績や実力は明らかで、国内の候補者の中で彼以上に実力がある者はいない。また、年齢や容姿、身分の点から言っても王配として非の打ち所がなかった。

人々は、集まれば二人の婚約発表がいつになるかという話をし、賭《か》けをする者まで現れるようになった。

それが面白くないのがアルヴァンの台頭を快く思っていない貴族たちだ。彼らの大半はフィオーナの相手には外国の王族を迎えるべきと考えていた。ところが同じように、外国の王族を迎えることを強く推していた国王は病に倒れ、フィオーナの補佐についたアルヴァンの名声はあがる一方だ。

このままではアルヴァンが王配になるのは確実だと思われた。

それに一番焦りを感じていたのが、外務大臣のオードウィン伯爵だった。彼にはアルヴァンのことが気に入らないという理由の他に、彼を王配にしたくない理由がもう一つあった。

オードウィン伯爵はシュバール国の実力者である国務大臣と通じ、外務大臣の地位を利用して両国間の関税交渉でオクロットに不利な条件を結ばせていたのだ。ところが実際にオクロットからシュバール国の国費へ流れる関税の金額はそれほど高くはなかった。巧みに偽装された調印書のもと、オクロットから徴収され、シュバール国に納められなかった膨大《ぼうだい》な金は、迂回《うかい》されたあげく国務大臣とオードウィン伯爵に流れていたのだ。

そうやって何年もの間オードウィン伯爵は不正を働きうまい汁を吸っていた。

ところが三年に一度見直される関税交渉の席に宰相の地位についたばかりのアルヴァン

が強引についてきた。そのあげく、彼はその席で、交渉の席でどうやって手に入れたのかオクロットからシュバール国へ納められた税金の資料と、オクロット側の資料を出してきてこう言ったのだ。

『これは奇異《きい》なことですね。わが国が支払った額と、受け取った額にこれほど差があるとは。この差額はどこへ行ってしまったのでしょうか？　早急に調べていただく必要がありますね』

その言葉に真っ青になったのは不正に関わっている両国の役人と、その不正を主導しているオードウィン伯爵だった。幸いアルヴァンは、不正の可能性を示唆しただけでその場でそれ以上糾弾《きゅうだん》することはなかったが、その代わりににっこり笑ってこう告げたのだった。

『しかし実質、シュバール国へ納められる金額がこれだけであり、何の問題もなかったのならばわが国が無駄に高い関税率を払う必要はないわけですよね。実情に合った関税率にするべきではありませんか？　従来の関税率にするならば、まずは、今の状況を公表し、徹底した調査をしていただかないと、こちらも納得できませんね』

不正の証拠書類を前にして、いつもは高圧的なシュバール国の役人は何も言えないようだった。適正な関税率にしないと不正を公にするとほのめかされたのだ。後ろ暗いところがある彼らはアルヴァンの要求どおりにせざるを得なかった。

このことに恐れを抱いたのはオードウィン伯爵も同じだ。アルヴァンが提示した書類には、オードウィンの不正を示すものは何もなかったが、その後、この不正に関わった役人たちが別の件で次々と狙いすまされたように処罰されていた。オードウィン伯爵自身が処罰される気配はないものの、安心はできなかった。お金が入らなくなること以上に外務大臣の地位を失うことを彼は何よりも恐れていた。

　その不安を取り除くためにはアルヴァンを王宮から排除するしかない。ところが彼にまったく隙は見当たらず、オードウィンの子飼いの貴族を使って暗殺を企てても、うまくいかなかった。反対にその子飼いの貴族はあっさりと捕まり社会的に葬《ほうむ》られてしまう始末だ。おかげでオードウィン伯爵の取り巻きは次々と姿を消し、彼自身の影響力もどんどん弱くなっていっている。

　これでアルヴァンが王配にでもなれば、彼の持つ権力は計り知れないものになるだろう。ますます排除することは不可能になり、手を出せば反対にこちらの方が簡単に潰されてしまう。

　オードウィン伯爵は己の保身のために、どうしてもアルヴァンが王配になるのを阻止しなければならなかった。

「くそ、このままではあの若造が王女の夫に選出されてしまう。せっかくエリオス殿下を王配にする手はずを整えていたのに。まさか殿下をお招きする前に肝心の陛下がお倒れになるとは……」

　オードウィン伯爵は人払いをした部屋でイライラと動き回っていた。

　アルヴァンが今まで王配に選出されなかったのは、フィオーナの父親である国王が外国から婿を迎えたいという意向を頑なに示していたからだ。反対に一国の頂点に立つ国王が望んでいるにもかかわらず外国から王族を迎える話が実現しないのも、重臣の多くが、そして何よりも議会が反対していたからだった。王といえども貴族の総意ともいえる議会の意向を無視することはできなかったのだ。

だから国王はフィオーナの夫にと望んでいたシュバール国のエリオス王子を、議会が反対できない形でオクロットに招こうとしていた。そしてフィオーナと会わせて、彼女の口からエリオスを夫にしたいと言わせるつもりだったのだ。

フィオーナは貴族や国民たちに好かれている。そのため、議会もフィオーナ本人が望むならエリオスをフィオーナの婿にすることを認めるだろうと考えたのだ。

だが、エリオスを招待する計画は国王が病気になったことで潰れてしまった。国王が倒れるという一大事に、視察という名目だろうが大国の王子を招待しそれを受け入れる余裕はないからだ。

「……いや、待てよ」

オードウィン伯爵はピタッと足を止めた。

「視察という名目は使えないが、陛下が病気だからこそエリオス殿下にご訪問いただく理由が作れるではないか。これなら宰相や議会も文句は言えまい」

それに、とオードウィン伯爵は一人ごちる。

エリオスを招くことは病床にある国王の意思がこちらにあると示す絶好の機会にもなる

だろう、と。

「誰ぞおらぬか！　城へ向かうぞ。支度をしろ！　シュバール国のヘイリー国務大臣に使者を送るのだ！」

声を張り上げながらオードウィン伯爵は扉に向かった。

――アルヴァンにはつけいる隙がない。

アルヴァン一人に固執《こしつ》するあまりフィオーナとアルヴァンの歪《いび》つな関係にオードウィン伯爵が気づくことはなかった。

＊＊＊

いつもならばペンを走らせる音が響く執務室に、フィオーナの抑えきれない篭もったような喘ぎ声と、粘着質な水音が響いていた。

「……んっ、ぁ……ん……」

フィオーナは声が漏れないように唇をぎゅっと噛み締める。

けれど深いところを抉られて、背筋を駆け上る快感に、どうしても声を殺すことができなかった。

「っ、あ、あっ……！」

「しっ、フィオーナ。外に声が漏れてしまいますよ?」

クスクス笑って言いながら、アルヴァンはフィオーナの腰を摑んでいた手を前に滑らせ、すでに剝きだしになっていた彼女の充血した花芯を指で摘み上げた。

「はぅ……!」

フィオーナは頤をそらし、声にならない悲鳴をあげる。机を摑む手がぶるぶると震えた。ところが彼女の内側はぎゅっと締まり、媚肉が猛った男の肉茎に絡まり、絞り上げる。

フィオーナの耳元でアルヴァンが満足そうなため息を漏らした。

「ああ……すごい締め付けですね。うねるように絡みついてくる。ほら、分かりますか?」

言いながら、ぐっぐっと揺さぶられ、男の先端がフィオーナの感じる部分をこすりあげる。

「……っ! んんっ……ぁ」

フィオーナは湧き上がる法悦に全身をがくがくと震えさせた。繫がっている部分から蜜が溢れ、フィオーナの滑らかな内股を伝わり落ちていく。そんな些細なことも敏感になった身体は快感として拾い上げてしまうのだった。

「……ぁあ、ん、んっ……あ、ん……」

唇を震わせ、ハクハクと息をしながらフィオーナは淫らな自分に、そして置かれた状況に生理的ではない涙を流す。

フィオーナは父王の執務室で、父親が使っていた机に手を置き、お尻を突き出して後ろからアルヴァンの欲望を受け入れさせられていた。

ドレスは身に着けたままだ。アルヴァンもトラウザーズの前をくつろがせただけで、クラヴァット一つ外していない。

けれど、フィオーナのドレスの裾は腰まで捲《めく》り上げられ、白く丸みを帯びた双丘が剝きだしになっていた。足元には白いドロワーズとドレスを膨らませるペチコートが脱ぎ捨てられている。

アルヴァンはともかくフィオーナは、誰かが扉を開けて入ってきたらとても言い逃れできない姿だった。

仕事をするための場所で、仕事をしている時間に、自分は一体何をしているのかと思うとフィオーナの目から涙がとめどなく溢れる。

彼の望む時にこの身体を差し出す——そういう契約だったが、まさかそれが夜だけに留まらないとはフィオーナは思いもしなかった。けれどアルヴァンは昼夜問わずフィオーナに関係を強いた。まるで辱めるように。

「ん、んっ、あ、や、め……お、お願い、アルヴァン……許し……」

喘ぎながら、フィオーナは小さな声で懇願する。待って、許してと。けれど、アルヴァンは笑いながらますますフィオーナを攻め立てるのだった。

「やめてと言いながら、ここはすごく悦んでいますよ。夜よりもね。本当は、こうされるのが好きなんですよね、あなたは」

「あっ……！　んん、あ、くっ……」

充血した花芯を指で弄られながら、奥をずんずんと突かれてたまらず甘い悲鳴が口にのぼる。すぐにハッとして唇を噛み締めて喘ぎ声を殺すが、快感を逃がせなかったことでますます感じてしまっていた。

背筋を駆け上がる悦楽に震えが止まらない。

アルヴァンの言うとおりだ。フィオーナの身体はこのような場所での背徳的な交わりに、確かにいつもより悦びを覚えていた。

「優しくて慈悲深いと評判のあなたがこんなに淫乱だと彼らが知ったらどう思うでしょうね」

アルヴァンは揶揄するように言いながら、強弱をつけてフィオーナを揺さぶる。

「っ、だ、誰の、せい……だと……っ」

噛み締めた口の端から声を漏らしながらフィオーナはアルヴァンを詰った。

純潔を奪われたあの夜から、約一か月。月のものが訪れた時以外は毎日のように昼夜問わず抱かれ続けた。身体はすっかり快楽に慣らされ、今ではアルヴァンに触れられるだけで蜜が溢れるほどだった。

今日も強引に求められほとんど解さず貫かれたのに、フィオーナの胎内はすぐに熱く濡れ始めてすんなり彼を受け入れてしまった。

それを指摘され冷やかされ「淫乱」とまで言われたのに、フィオーナの身体は悦びに打ち震え、アルヴァンの剛直を嬉しそうに締め付けるのだ。

フィオーナは自分をこんなふうにしたアルヴァンが憎かった。なのに、彼に逆らうことはできないのだ。

「ええ、私のせいですね。かわいそうな王女様」

アルヴァンは嬉しそうに笑った。

「でもあなたが悪いのですよ。こんな清楚な外見をしていながら淫猥《いんわい》な身体を持っているのだから。ほら、嫌いな男に抱かれてもこんなに悦んでしまう」

「ひぃ、あ、ああっ」

奥の感じる場所をぐりぐりと突かれてフィオーナの桜色の唇から悲鳴があがった。

――その直後のことだった。

アルヴァンの腰の動きがピタッと止まった。突然の中断にフィオーナの腰が無意識に先をねだるように揺らぐ。

「しっ、フィオーナ。誰か来ます」

耳元で呟かれた言葉にフィオーナの全身が硬直した。耳をすませると確かにこちらへ向かってくる足音がかすかに聞こえてくる。

フィオーナは自分が置かれている今の状況に気づいてさぁーっと全身から血の気が引いていくのを感じた。

「声を出さないでください」

フィオーナはガクガクと震えながら頷いた。快楽に染まった思考がすっかり元に戻っていた。

息を潜めて部屋の外に意識を集中させていると、足音と気配は、扉の前でピタッと止まった。

コンコンとノックをされてフィオーナはびくっと身体を震わせた。無意識のうちに中にいるアルヴァンを熱く締め付ける。

そしてそれがアルヴァンの欲望と加虐《かぎゃく》心を煽ることになった。

「フィオーナ様?」

扉の外から聞こえてきたのは侍女のアーニャの声だった。フィオーナがホッと息をついたのもつかの間、再開された腰の動きに悲鳴があがりそうになった。

「……っ、ひっ……なぜ……」

「静かに。彼女に気づかれたいのですか? あなたと私がこうして交わっていることを?」

アルヴァンが耳元で囁く。フィオーナは慌てて口元を手で塞いだ。アルヴァンの腰の動きが止まらなかったからだ。

ずちゅずちゅと淫靡な水音が部屋に響く。扉の向こうにいるアーニャに聞こえてしまうかもしれない。そう思うと背筋に震えが走り、フィオーナは一層強くアルヴァンを締め付けてしまうのだった。

「フィオーナ様? お茶をお持ちしましたが……?」

フィオーナの返事がないことにアーニャの声に訝しげな響きが混じる。

「んっ、ふっ、んんっ……」

アーニャに返事をしなければ。そう思うのに、フィオーナは答えられなかった。口を開けば喘ぎ声しか出ないのが分かっていたからだ。

――やめて、お願い……！

フィオーナは心の中で悲鳴をあげる。なのに身体はこの異常な状況にすら興奮して、あろうことか更に蜜を溢れさせるのだった。

けれどそんな自分に嘆く余裕も今のフィオーナにはない。

感じる場所をアルヴァンの太い先端に擦られて目の前がチカチカと瞬いた。足のつま先まで走る快感に、その一瞬だけアーニャのことや自分の置かれた状況が頭から抜け落ち、嬌声があがりそうになる。その時、再度扉の外からアーニャの声が聞こえた。

「フィオーナ様？　いかがされたのですか？」

「ひぅ……！」

……ああ、だめ……！

悦楽に堕《お》ちそうになったその時、アルヴァンが答えた。

「すみません、今立て込んでいて手が放せませんので、そこに置いておいていただけますか？」

フィオーナの中に猛った肉茎を収めているとは思えないほど、それは普通の声だった。

ほんの少しいつもよりかすれているだけだ。

「アルヴァン様」

アーニャの声に安堵の色が混じる。けれど、ずっとフィオーナの第一侍女だったアーニャはフィオーナの声を聞かなければ納得しないだろう。

「アルヴァン様、フィオーナ様はいらっしゃいますか？」

「もちろん、いらっしゃいますよ」

アルヴァンは朗らかにそう答えると、腰の動きを中断する。そして手を前に回してフィオーナの口から手を外させると、耳元で小さく言った。

「彼女が心配していますよ。何か言って安心させてあげなさい」

フィオーナは何度か深く呼吸すると、できるだけいつもと変わらないような声を出した。

「……アーニャ。ご苦労様。い……まは、ちょっと忙しいから、お茶は、そこに置いてちょうだい」

途中、少しだけ震えたが、つい今しがたまで喘いでいたようには聞こえないだろう。

アーニャは主の声を聞いて安心したようだ。

「フィオーナ様。分かりました。ここに置かせていただきますから、ちゃんと飲んでください。アルヴァン様もですよ。忙しくても休憩なさってくださいね」

「分かったわ。あ、りがとうアーニャ……っ」

アルヴァンが腰をぎゅっと押し付けたまま揺さぶり始めたため、最後の言葉は乱れてし

まった。けれどアーニャは気づかなかったようだ。

「それでは失礼します。また後ほどお迎えにあがりますね」

「……っ、ぁ……」

答えようとして思わず喘ぎ声が出そうになった瞬間、アルヴァンの手が伸びてフィオーナの口を塞いだ。

「分かりました。ご苦労様です」

代わりに答えたのはアルヴァンだった。けれど、一度フィオーナの言葉を聞いたせいか、アーニャは疑うことなくその言葉を受け入れる。

「それでは失礼します」

そう言ってアーニャの気配が遠ざかる。けれど、もうすでにフィオーナの頭の中にはアーニャのことはなかった。

「んっ、あ、んくっ……んんっ」

フィオーナは口を塞がれながら、後ろからズンズンと強く抉られて揺さぶられる。目の前でパチパチと火花が散り、震えるような愉悦が背筋を駆け上がっていく。

「……んんっ……！」

フィオーナは全身をぶるぶると震わせ、絶頂に達した。

それに連動して胎内が蠕動《ぜんどう》し、アルヴァンの肉茎に絡みつく。それを振り切るように抜き差しを繰り返しながらアルヴァンはフィオーナを攻め立てた。

一度達して力の抜けたフィオーナはアルヴァンに揺さぶられるまま、男の精を受け止めるための器と化していた。けれど、なぜかそれでいいという思いが湧き上がるのも感じた。

「んっ、あ、あ、くぅ、んン……！」

いつの間にか口から手は外され、机に顔を突っ伏しながら喘ぎ声を漏らしていた。長い黒髪が机の上に広がり、その律動とともにあやしく揺らめいている。

フィオーナは揺さぶられながらこれでいいのだと心の中で囁く声に耳を傾けていた。

——そう、これでいい。こうして彼の欲望を受け止めることでこの人を引きとめることができるのなら。たとえ性欲を満たすだけの存在であっても構わない。

憎んでいるはずなのに、そんな陶然《とうぜん》とした思いが溢れて、フィオーナを満たしていく。

彼女の胎内ではアルヴァンの楔が一層膨れ上がっていった。打ち付ける腰の動きも激しさを増していく。あと少しではじけるだろう。熱い白濁を奥で感じることができるだろう。

……ところがそう思った時、いきなりフィオーナは現実に立ち返った。まるで彼女の中で「女」の部分が引っ込み、いきなり「王女」に切り替わったような感じだった。

そして焦りを感じた。フィオーナは顔を振り向けてアルヴァンに哀願した。

「あ、アルヴァン、お願い。中には、出さないで……！」

今、彼の白濁を中で受け止めるわけにはいかないことを思い出したのだ。

「この後、すぐに、ダシュガル国の使者と会う予定、なんです。だから……！」

着替えている時間はない。なのでこのまま直接会談の場へ向かう予定だった。情事の証摑を残したまま大国の使者たちと会うわけにはいかない。

けれどアルヴァンはくすっと笑いながらこんなことを言う。

「いいじゃないですか。私の子種をそこに収めたまま会えばいい」

「っ、アルヴァン……！　お願いですからっ！」

フィオーナは青ざめた。隠そうとしても情事が行われていたことはすぐに分かってしまうだろう。

「アルヴァン、お願いです。やめて……！」

フィオーナの情事が周囲にバレれば、彼女は不貞の烙印《らくいん》を押され、相手として、いつも傍にいたアルヴァンが疑われるに違いない。そうなれば彼は罪に問われてしまうのだ。そんなこと彼はよく分かっているはずなのに。

「や、あっ、私は、あなたを失いたくは……」

ピタッとアルヴァンの動きが止まった。

「ああ、この国のために私を失うわけにはいかないですものね」

アルヴァンはくくっと喉の奥で笑うと、フィオーナの腰から手を離し、ゆっくりと彼女の中から出て行った。

「あ、あ、ん、ぁ……」

太いものが抜けるその感覚にフィオーナは悩ましげな声をあげた後、力を失って床に座り込む。さっきまできついくらいに満たされていたそこがぽっかりと開いて空洞《くうどう》になり、じくじくとアルヴァンを求めて疼いていた。

でも、これでいいのだ、と一抹の寂しさを覚えながらフィオーナは考える。中途半端に高められた身体はつらいが、この関係を知られる危険を冒すわけにはいかないのだから。

「フィオーナ」

ところがアルヴァンはフィオーナの肩を摑んで振り向かせる。つい先ほどまで彼女の中に埋まっていた肉茎を、いきなり目の前に突き出されて仰天した。彼の怒張は太く浅黒く、まるで彼とは別の生き物であるかのように反り返り、彼女の蜜にまぶされてぬらぬらと鈍く光っていた。彼の優美な外見に似合わず凶暴なまでのそれに一瞬魅入られ、それからフィオーナは慌てて視線をそらした。そんな彼女を見下ろして、アルヴァンはにっこり笑った。

「あなたの中に出すのが駄目なら、あなたの口を使って処理してもらいましょう」

「……え？」

フィオーナは目を見開き、彼の言っていることを理解してさぁっと青ざめた。思わず仰ぎ見て彼を窺う。

紫の瞳がなお熱っぽい欲情の光を浮かべてフィオーナを見下ろしていた。彼の言うことが冗談でも意地悪でもないことを悟ってフィオーナはぶるぶると震え始めた。

「このまま済ませるわけはないでしょう？　それに、情事の跡を残すのがまずいのはこの部屋も同じです。あなたの使っているその椅子にぶちまけて欲しいですか？」

赤裸々な言葉にフィオーナは顔を赤らめながらぷるぷると顔を横に振った。そんなことになったらこの部屋で何をしていたのか周囲に知られてしまう。

「だったら、フィオーナ。やることは分かっていますね？」

「アルヴァン……お願い、許して、ください。私……」

けれどその哀願もアルヴァンは一蹴した。そして残酷な事実を持ち出してくる。

「フィオーナ、私が望む時にその身体を差し出す。そういう約束ですよ。それにこれに触れるのは今回が初めてではないでしょう？　その時にやり方も教えたはずです」

確かにそうだ。半月ほど前に無理やり握らされてキスをさせられたことがあった。その時はそこまでで許してもらえた。けれど今回は見逃してはもらえないようだ。

「……ひどい人……」

フィオーナは震える声で詰った。けれどアルヴァンは、まるで嬉しいことを言われたかのようにうっとりと笑う。

「ああ、その顔は素敵ですよ、フィオーナ。あなたがそんな顔をするのは私にだけですから」

それから彼は手を伸ばし、フィオーナの震える唇にそっと触れた。

「悲しみに歪んだ顔も怯えた顔も、そして絶頂に達した顔も全部、私だけのものです。もちろん、あなたのこの花びらのような唇も……」

アルヴァンはそう言いながら人差し指をぐっとフィオーナの口の中に押し込んだ。フィオーナはとっさに薄く唇を開けてその指を受け入れてしまう。

「んんっ……」

アルヴァンはフィオーナの口の中で指を動かして軽く攪拌《かくはん》しながら、選択を迫った。

「さぁ。フィオーナ。選んでください。あなたの胎内に出してそのまま使者に会うか。私にこの口の中に無理やり突っ込まれるか。もしくは自分から咥《くわ》えて奉仕するか。そのどれかです」

フィオーナはギュッと目をつぶった。彼女が選ぶ道は一つしかなかった。

「奉仕……させてください……」

アルヴァンの指を咥えたまま小さな声で答えると、彼はその指を引き抜いて、ぺろりと舌を這わせて笑った。

「賢明な判断です、王女様。さすが私の教え子ですね。ついでに男の……私の悦ばせ方も実地で覚えるといいでしょう。これ一回じゃないのですから」

アルヴァンはくすっと淫靡に笑うと自分の肉茎を摑んでフィオーナの口元にもっていった。

「フィオーナ。口を開けて舌を出して」

フィオーナは言われたとおり、口を開けておずおずと舌を差し出した。舌の先が温かく滑らかで固いものに触れる。グロテスクな色形に違いないのに、舌で触れてもなぜか嫌悪感は湧かなかった。

「この間、教えたでしょう？　両手を添えて……」

フィオーナは言われたとおりに舌で先端に触れながら手を肉茎に伸ばして包み込んだ。血管が浮き出ていてゴツゴツしているにもかかわらずその表面は思ったよりも滑らかだった。自分の手の中でドクドクと脈打つそれを、教わったとおりに蜜を潤滑油代わりに擦って刺激する。

「舌が休んでいますよ」

言われて、慌てて鈴口に舌を這わせる。自分の蜜と彼の先走りの液が混じりあい、変な味がした。けれど構わずに唾液を湛えた舌を彼の指示どおりに滑らせていく。

初めての口での奉仕のためか、その手つきはとても拙い。けれどそれを受けるアルヴァンには何か琴線に触れるものがあったらしく、手の中でソレはどんどん膨らんでいった。

――アルヴァンが私の愛撫で感じてくれている。

そう思ったら不思議なほどの満足感が胸の中に広がっていくのを感じた。

「……んっ……ん、ぁ……」

いつしか嫌々ではなく、自ら進んで蜜と唾液に塗れてイヤらしく光るものに奉仕していた。だから「咥えて」と指示されても、何のためらいもなく唇を開いてその猛ったものを口の中に受け入れる。

もっともアルヴァンのそれは大きく、すべてを収めることはできなかった。先端だけでもいっぱいで苦しくて生理的な涙がポロポロ零れていく。えずきそうになってぐっと喉に力を入れた拍子に彼のものを口の中で締め付けたようで、更に膨張《ぼうちょう》するのが分かった。

アルヴァンはくすっと笑い、フィオーナの膨らんだ頬に触れた。

「フィオーナ。口の中にいれただけじゃいつまで経っても終わりませんよ。そろそろアーニャが迎えにくるのではありませんか？」

その言葉にフィオーナは慌てて口をすぼめて頭を上下させた。アルヴァンがフィオーナの頭に手を添えて、その動きを助けていく。

「ふっ……ん、んくっ……んんっ……ん、ん……」

身体でリズムを覚えながらフィオーナは猛った肉茎を何度も口に出し入れする。唾液が口の中でじゅぶじゅぶと音を立てて攪拌され、口の端から零れ落ちていくのが分かった。

その音と、肉茎が口の中を蹂躙《じゅうりん》する感触にフィオーナは次第にぼうっとなり、そもそもこの行為が強制されて始まったことを忘れつつあった。なぜ口で受け止めているのか、その理由が分からなくなってくる。けれど、よくできましたとばかりにアルヴァンに頭を撫でられて、ひどく嬉しいと思ったのは確かなことだった。

フィオーナは一心不乱に目の前の怒張に奉仕しながら、子宮が彼を求めてキュンと切なく疼くのを感じた。無意識のうちに口の中に咥えながらねだるようにアルヴァンを見上げる。

「……っ、王女様、あなたはご自分が今どういう表情をしているのか分かっていますか？」

少し苦しそうに眉を寄せながらアルヴァンが問う。けれどフィオーナには彼が何を言っているのか分からなかった。

「無自覚ですか。……まったく性質の悪い……！」

アルヴァンは珍しく舌打ちすると、フィオーナの頭を押さえる手に力を込めた。

「すみません、少しだけ我慢してください……っ」

今までほとんど動かなかったアルヴァンの腰がフィオーナの口に打ち付けられる。頭を固定されてしまったフィオーナはなす術なくそれを受け入れざるを得なかった。

喉を突かれて苦しくて涙が零れる。今や彼女は完全にアルヴァンの性欲を処理するためだけにその咥内を犯されていた。

「んんっ、んぅ、んー、んっ」

息が苦しくて辛い。それなのに、頭のどこかで痺れるような悦びを感じている自分もいて、ますます混乱していった。

やがて、一際強く喉を突かれた後、喉の奥に熱い何かがドッと注がれるのを感じた。思わずえずきそうになるが、喉の奥まで塞がれている肉茎と、頭を押し付けるように固定しているアルヴァンの手のせいで吐き出すこともできなかった。

「んっ〜！　んぅ〜！」

膨らんだ怒張から噴きだした熱い液体が何度も何度も喉の奥に注がれる。フィオーナの目から涙がとめどなく溢れていった。

長いような短いような時が過ぎて、ようやく頭を押さえる手が外され、アルヴァンの楔が口の中から出て行った。フィオーナは跪いたままぼんやりと見上げ、喉の奥にたまった白濁をどうするか考える。

……彼は何と言った？　始末？　口を使って処理？

頭が働かないまでも、ここでこれを吐き出して残していくことも、そしてもちろん口に入れたまま使者に会うわけにもいかないと分かっていた。

だったら、方法は一つだ。

フィオーナは喉にその白濁を流し込む。とたんに酷使された喉に粘ついたものが張り付き咳き込んだ。

「フィオーナ！」

けれどフィオーナは吐き出すわけにはいかないと口を押さえ、涙を流しながら懸命に嚥下していく。

「バカな！　まったく、誰が飲み込みなさいと言いましたか……！」

咳き込むフィオーナの口にハンカチーフを当てて、アルヴァンが珍しく声を荒らげた。

「布か何かに吐き出せばいいんですよっ」

「だ、だって、処理、しないと……」

「だからって飲む人がいますか。……まったく……」

アルヴァンがフィオーナの身体を抱えあげ、椅子に下ろしながらぶつぶつと呟く。

「あなたという人は相変わらず予想外のことをしてくれる人ですね。そしてとんだ好き者らしい」

「好き者……？」

「命じられてもいないのにアレを飲む人を好き者と言って何が悪いのですか。しかも咥えるのが初めてだったくせに」

言いながら、アルヴァンは扉に向かい、アーニャが外に置いていったお茶のセットの載ったワゴンを引いて戻ってきた。

フィオーナは暗に「淫乱」と言われたことに赤面し、自分を恥じて俯いた。

確かにそうしろと強要されたわけでもないのに、男の子種をあんなふうに飲み干すなんて、一体自分はどうしてしまったのだろう？　でもあの時はああするしかないと思い込んでしまったのだ。

きっとアルヴァンにも呆れられただろう。簡単に快楽に流されるどころか、自分から……。

「毒は入っていないようですね」

一つのカップにほんの少しだけ注ぎ、それを口に含みながらアルヴァンは淡々と言った。

フィオーナはその言葉に驚いて顔をあげる。

「毒？　アーニャはそんなことしません！」

「別にアーニャがとは思っていませんよ」

アルヴァンは改めてカップにお茶を注ぎ始める。

「ただ、扉の前にしばらく置かれていましたからね。用心するにこしたことはありません」

「まさか。この城の者がそんなことをするはずが……」

言いながらフィオーナはハッとしてアルヴァンを見つめる。彼がこんなことを言うからにはそうした実例があるからに外ならない。

お茶の入ったカップをフィオーナのもとに運びながらアルヴァンは苦笑した。

「私は敵が多いですからね。毒物混入など日常茶飯事です」

「そんな……」

この人の命が狙われている……？　そう思っただけで胸が締め付けられた。

「大丈夫です。用心していますし、常に薬を持ち歩いて不測の事態に備えていますから。はい。どうぞ飲んでください」

フィオーナはアルヴァンからカップを受け取りながら、彼の城の自室にあれほど大きな薬棚がある理由にようやく思い至った。きっと何かあった時にすぐ対処できるようにするためなのだろう。

フィオーナはそのことに動揺している自分のことを不思議に思った。この人に対する淡い想いはもう消えてなくなったはず。それどころか、身体の関係を強要されて憎んでいたはず。

――いいえ、彼に何かあればこの国は崩壊してしまうから。だから心配しているだけ。

……そう、そうに違いない。

そんなことを考えながら、フィオーナはお茶を飲み込む。口に残っていたアルヴァンの味がお茶の爽《さわ》やかな香りにかき消されていく。

それをなぜか残念だと思っている自分に、フィオーナは気づかないフリをした。

お茶を飲んだ後、アルヴァンの手を借りて軽く身支度を整えていると、扉からノックの音が響いた。

「フィオーナ様。そろそろダシュガル国の使者との面会のお時間です」

「分かったわ。ありがとう、アーニャ」

フィオーナの声はややかすれてはいたが、先ほどまで情事に耽っていたとは思えないほどしっかりしていた。

「いってらっしゃい、王女様」

すっかり「宰相」の顔に戻ったアルヴァンが見送りの言葉を贈ってくる。けれど、またすぐに彼は手を伸ばし、フィオーナを抱き寄せると小さく囁いた。

「今夜も私の部屋に……」

フィオーナの身体に小さな震えが走った。しかしそれは今夜もまた蹂躙されるだろうことへの怯えではなかった。

「……はい」

フィオーナは頷きながら、自分の中で何かが変わっていっていることをひしひしと感じていた。

一方、アルヴァンはフィオーナが去った後、執務室に現れた副官からある報告を受けていた。うっすらと笑みすら浮かべて彼は呟く。

「やれやれ。これは病床にある陛下の執念ですかね？　彼も大人しくしていればいいものを。よほど自分の首を絞めたいらしい」

「オードウィン伯爵は我々が不正の証拠などとっくに手にしていて、シュバール側の動きを見るためにわざと泳がせているとは夢にも思っていないようですね」

副官の顔には嘲笑が浮かんでいた。

「小物ですからね。大国に尻尾を振っていれば何とかなると思っているのでしょう。でもあちらも決して一枚岩ではない。あの人が考えているほど単純じゃないのですよ」

アルヴァンは執務室の窓の外に目を向ける。その方角の遥か先には大国シュバールがあった。

「さて、あちらの国はどう出るか……いずれにしろ、厄介な事態になりそうだ」

――その言葉のとおり、それから十日後。オクロットの城に激震が走った。

＊＊＊

きっかけはシュバール国から送られたオクロット国王への見舞いの使者たちだ。

初め、彼らの到着を聞いたフィオーナは首を傾げた。シュバール国からは国王が病気で倒れた直後に、見舞いの言葉を携えた大使が訪れている。それなのに父王が倒れて一か月半も経ってから再び見舞いの使者を送ってくるのは不自然だと思えた。

だが外務大臣のオードウィン伯爵に確かに正式な使者であると言われ、更に、面会するようにとしつこく請われて出迎えることになった。

そこでフィオーナは馬車から降りたばかりの一行に薄茶の髪をした若い男性が交じっていることに目を瞠った。

シュバールの大使は初老だし、今までの使者も年齢の高い男性が多かった。ところが一行の中心人物はその若者らしい。周囲は明らかに彼を気遣っていた。

挨拶のために、真っ先にフィオーナに近づいてきたのもその若い男性だ。

男はすっきりとした顔立ちの、長い睫毛に縁取られた明るい緑色の瞳が印象的な美丈夫だった。背は高く、アルヴァンより少し低い程度だ。年も同じくらいに見える。ただアルヴァンより線は太くがっしりしていて、しなやかな身体つきは優美な豹《ひょう》を思わせた。

「お初にお目にかかります。フィオーナ王女殿下」

彼は胸に手を当てて礼をした後、にっこり笑ってフィオーナの手を取った。そしてフィオーナをはじめ、その場にいたすべての者たちに、突然大きな衝撃を与えた。

「私はシュバール国第三王子のエリオスです。以後お見知りおきを」

「エリオス……殿下……!?」

フィオーナは仰天し、その場で固まる。オクロット側にざわめきが広がった。その中で唯一動揺していないのがオードウィン伯爵だった。それどころか彼は得意そうに前に出てフィオーナに言った。

「もちろんエリオス王子でいらっしゃいます、王女様。間違いありません」

その言葉からもエリオスが使者団に交じって訪問することを、オードウィン伯爵があらかじめ知っていたのは明らかだった。フィオーナは内心眉を顰めた。

分かっていたならなぜあらかじめ伝えなかったのか。使者を迎える準備はしてあっても王族を迎えるのとは訳が違うのだ。

「以前からオクロットを訪ねたい、あなたともお会いしたいと思っていたのです。今回、こうして機会を得ることができて、祝着《しゅうちゃく》至極に存じます」

エリオスはフィオーナの手を取ったまま人好きのする笑顔を向けた。もちろん社交辞令だろうが、エリオスのように品があり、見目もよい男性にそう言われて悪い気がする女性はいないだろう。フィオーナも取られた手を無理に外すことなく、笑顔を返した。

「ありがとうございます、エリオス様。あの……お越しいただき光栄です。お出迎えに不手際があり申し訳ありません」

「いえ。私はあくまで国王陛下へのお見舞いの使者としてまいりましたので、お気遣いなさらずに。ただの使者として扱ってください」

「い、いいえ、そういう訳には……」

自分の国より強大な国の王子をただの使者として扱うわけにはいかない。

けれど、フィオーナがそう言う前に、エリオスはフィオーナの後ろに何かを見つけてパッと顔に喜色を浮かべて声を張り上げた。

「アルヴァン。アルヴァンじゃないか！　久しぶりだな」

フィオーナが慌てて振り返ると、少し遅れて到着したアルヴァンの姿があった。アルヴァンはフィオーナの手を取るエリオスの姿を見て片眉をあげた後、すぐに笑みを浮かべてその声に応じた。

「お久しぶりですね、エリオス殿下。お元気そうで何よりです」

二人の様子を見れば旧知の仲であることは明白だった。これにはフィオーナはおろか、オードウィン伯爵、それにエリオスと一緒にきたシュバール国の人間まで驚いていた。どうやら彼らも知らなかったことらしい。

「あの……お二人は……？」

フィオーナがおずおずと尋ねると、答えたのはエリオスだった。

「ああ、これは失礼。アルヴァンとは留学していた時に知り合ったのです」

「同じ時期に北方の国に留学して、同じ学問を同じ教師に師事して学んでいたものですから」

アルヴァンが補足する。

「まぁ、北方の国で！　すごい偶然ですのね」

驚くフィオーナから少し離れた場所で、オードウィン伯爵が「留学だと？　顔見知りだと？　そんなことは聞いてないぞ」とぶつぶつ呟いていたが彼女の耳には入らなかった。

アルヴァンは内心冷笑を浮かべながら、何食わぬ顔で提案する。

「王女様。ひとまずは城に入っていただきましょう」

「え？　あ、そうですね」

普段、使者は馬車を降りてすぐに建物内部にある控え室に向かう。そしてそこから謁見《えっけん》の間へ向かい、フィオーナと顔を合わせるという流れなのだが、今回は玄関先でフィオーナたちが出迎えてしまったために、彼らはずっと外に立たされたままなのだ。

フィオーナは失礼にならない程度にさりげなくエリオスの手から自分の手を引き抜くと、建物を示した。

「気が利かず、申し訳ありません。どうぞお入りください」

エリオス王子たちを建物へと案内しながら、フィオーナは早急に大臣たちを呼んで、この事態について話し合う必要があると感じていた。

時期外れの王族の訪問。それも先触れがない状態で突然にだ。……いや、オードウィン伯爵は知っていたようだが、それをフィオーナたちにまったく知らせなかった。

……目的は一体何なのだろう？

父王が病に伏している今、彼らの訪問は不安を煽るものでしかなかった。

フィオーナは湧き上がる不吉な予感に唇をそっと噛み締めた。


謁見の間でエリオス王子たちと改めて挨拶を交わし、一通りの会見をすませる。その間も、彼らはあくまで父王の見舞いの使者という形を崩さなかった。話を聞く限り他意はなさそうに見えるが……時期が時期だけに油断は禁物だ。

フィオーナは会談を終えると、侍従長に彼らの相手を任せて会議室へ向かった。

すでにアルヴァンが大臣たちを全員招集しており、フィオーナが部屋に入った時には議論は始まっていた。……いや、始まっていたのはオードウィン伯爵への詰問だ。

「私もこちらに到着される直前まで知らなかったのだ！」

オードウィン伯爵が主張する。けれどそれは嘘だとフィオーナは思った。でなければエリオスが身分を名乗った時にあんな言い方はしなかっただろう。

他の大臣もそう思ったようだ。

「だったらなぜ分かった時点で我々か、王女殿下に告げなかったのだ！」

「それは……今回はお忍びの訪問なので内密にして欲しいとあちら側に言われたからだ。それに従ったまでのことで……」

「なるほど。あなたは、王女殿下への報告義務より、シュバール国からの『お願い』を優先させたわけですね」

言い訳めいたオードウィン伯爵の言葉をアルヴァンが一蹴した。

「それに、内密にさせてこちらの……あるいは王女様の度肝を抜きたかったのなら、悪趣味としか言いようがない。……使者はその国の代表です。大国シュバールがいくら小国のオクロットに対してとはいえ、そのような愚を犯すとも思えませんが？」

オードウィン伯爵はぐっと詰まった。

「それは……」

「あなたはご存知だった。それを我々にわざと伝えなかったのですよね？」

やんわりとした笑みを浮かべながらアルヴァンは容赦なく切り込んでいく。

「他国の王族を迎える余裕はないとオクロット側が断ったり時期の変更を求めたりすることがないように」

「そ、それは……」

オードウィン伯爵は言いよどむ。その様子から、フィオーナも大臣たちもそれが図星であることを悟ったのだった。

「なんということをしたのだ、オードウィン伯爵！」

「そうだ、なぜそんなことを！」

「我々に断りなく他国の王族を引き入れるなんて、背任行為と疑われても仕方ないぞ！」

重臣たちから厳しい言葉が飛ぶ。しかし怯むかと思われたオードウィン伯爵はアルヴァンに憎々しげな視線を投げかけてから、席から立ち上がっていきなりこんなことを言い始めた。

「私がエリオス殿下の訪問を知っていながらお断りしなかったのは、それが陛下の御意思だったからだ！」

その言葉にフィオーナは唖然とした。

「陛下の御意思だと？　バカな！　陛下の意識はずっと混濁されていて、意思など示せる状態ではないではないか！」

大臣の一人が机をバンッと叩きながら叫んだ。

彼の言うとおりだ。時々意識は戻るものの、父王は呼びかけてもほとんど何も反応を示さなかった。少し意識が回復してもまたこん睡状態になってしまう。そんな中で何か意思を示したり、オードウィン伯爵に指示を与えたりするのは不可能だ。

けれど、オードウィン伯爵は強腰の姿勢を崩さなかった。

「私が指示を受けたのは陛下が倒れられる前のことだ。貴殿らには内密にして欲しいと頼まれていたから今まで明らかにしなかったが、そもそも陛下はエリオス殿下をわが国に招くつもりでいらっしゃったのだ」

更に続くオードウィン伯爵の発言は、フィオーナはおろか、周囲の大臣たちにも衝撃を与えた。

「陛下はフィオーナ王女のお相手としてエリオス殿下を考えておられた。そこで機会を見つけ、この国に招待するように私に指示を出されていたのです」

「お父様が……？」

「何だと……？」

会議室のテーブルが一瞬だけ静まり、次にざわめきが起こった。

「陛下が倒れられたのでその計画は中断されたが、今回エリオス殿下が来られるというのを聞いて、私はこれこそ陛下のお心に沿うものと確信したのだ！」

大臣たちの間に動揺が走る。フィオーナもどうしたらいいのか分からなかった。

――本当にお父様はエリオス殿下を私の婿にするつもりだったの……？

だがここで、動揺もせずオードウィン伯爵の意見を聞いていたアルヴァンが静かな口調で尋ねた。

「陛下がそうおっしゃっていたという証拠は？」

「……は？」

目を丸くするオードウィン伯爵にアルヴァンはにっこりと笑ってみせた。だがそれが危険な兆候であることは、フィオーナ以外、一年半もの間一緒に国を支えてきたこの場にいる者たちには分かっていた。

アルヴァン・レイディスという男は、慈悲を乞《こ》う罪人をにこやかな笑みを浮かべたまま断罪できるのだということを。

ざわめきがぴたりと止み、誰もが固唾を呑んで二人のやり取りを見守る。

「陛下の意識は戻っておらず、あなたの言葉が本当であるか証明することはできません。我々はあなたが真実を語っているか判断することができないのですよ。ですから物的な証拠を求めています。陛下の印章が押されたものかサインの入った公文書でもありますか？」

「公文書……？」

もちろんそんなものがあるわけがない。オードウィン伯爵は国王の口から直接指示されているだけで文章に書き起こしていないのだ。紙に残せばアルヴァンに嗅ぎつけられる恐れがあったからだ。だから国王とのやり取りを証明するものは存在しない。そして、人払いをしていたために、国王の言葉を証明できるのは国王本人とオードウィン伯爵だけなのだ。

オードウィン伯爵はさぁっと青ざめた。彼は証拠を出せといわれるとは思っておらず、自分の言葉が疑われるとは考えていなかったのだ。

「証明できるものはないようですね。では、我々があなたの言葉が真実であると信じる理由もないわけです」

アルヴァンは淡々とした口調で判断を下す。

「この若造が……！　陛下の言葉を疑うというのか！」

オードウィン伯爵はカッとなって立ち上がるが、アルヴァンはまるで動じず、笑顔のまま答えた。

「今、年齢のことが何の関係がありますか？　それに陛下の言葉を疑っているのではなくて、我々はあなたの言葉を疑っているのです。ですから、あなたの言葉を証明するものを求めているのですよ」

「このっ……！」

噛んで含めるような言い方をバカにされたと思ったのだろう。オードウィン伯爵が机を回ってアルヴァンに詰め寄る。

「!?　アルヴァン！　やめて、オードウィン伯爵！」

フィオーナは真っ青になった。けれどアルヴァンに摑みかかるすんでのところでオードウィン伯爵は、近くにいた別の大臣たちや警護にあたっていた兵士たちに取り押さえられたのだった。

「離せ！」

アルヴァンは、引きずられて強制的に退出させられていくオードウィン伯爵に冷ややかな視線と言葉を贈った。

「陛下が早く回復されることを祈るのですね。陛下が目覚めればあなたの言葉が本当であることが証明されるのですから」

それからアルヴァンは居並ぶ大臣たちに視線を向けて申し渡した。

「オードウィン伯爵の言葉は陛下の意識が回復されるまで判断は保留ということに。皆もそのつもりでいてください。さて、それではエリオス殿下への対応についてですが――」

アルヴァンは今までのやり取りのことなどなかったかのようにテキパキと議題を進め、意見を取りまとめていく。最終的には王の名代であるフィオーナが決定を下すが、それももうすでに答えを導きだされているものを承認するだけだった。

エリオスについては、彼がこれを機にオクロットへの滞在を希望しているので、彼の従者をはじめ使者たちも城に逗留することとなった。王が病気で倒れている今、他国の王族の身柄を預かるには問題があるものの、城以外に適した場所が見当たらなかった。

オードウィン伯爵は勝手な判断をした責任を取ってしばらく謹慎《きんしん》の身となることが決定した。フィオーナの婿にという話は今のところオードウィン伯爵が言っているだけで、シュバール側がどういう意図でエリオス王子を送り込んできたのか不明なままなのだ。はっきりするまでオードウィン伯爵と接触させることはできないという判断になったのは当然のことだった。

もちろんその判断を下したのはアルヴァンで、オードウィン伯爵がますます彼に憎しみを抱くことになったのは言うまでもない。

退出させられる時にオードウィン伯爵がアルヴァンに向けた目を見て、フィオーナは彼の命を狙っているのは彼ではないかと思うのだった。

「平気……ですか？」

その後、執務室で二人きりになった時にフィオーナは思わず尋ねていた。

アルヴァンはオードウィン伯爵を謹慎処分にし、エリオスがシュバール国に帰国するまで彼とまともに会話を交わせないようにしてしまった。それらの処分を承認したのはフィオーナだが、彼のすべての恨みはアルヴァンに向くだろう。

「ああ、オードウィン伯爵ですか？　彼にはもともと恨まれているので、今さらです」

アルヴァンはまるで気にしていないようだ。

「でも、以前に命を狙われていると……」

「……おや、王女様は私の身を案じてくださっているのですか？」

口元に笑みを浮かべ、揶揄するような口調で尋ねられてフィオーナは頬を染めた。本音を言えば心配しているが、それを本人には知られたくなかった。彼女の心を無視して身体の関係を強要してくる彼には。

「心配など……あなたに何かあればオクロットが困るから。ただそれだけです」

フィオーナはふっと顔を背けながら答える。

「つれない方だ」

クスクス笑いながらアルヴァンはフィオーナの髪をひと房掬い取り、そこに唇を押し当てた。

どうやら彼は彼女の髪が気に入っているようで、頻繁に同じようなことをする。

『あなたのこの黒髪が白いシーツに、あるいはこの白い肌に乱れかかっているのを見るのが好きなのです』

いつだったか、ベッドでそんなことを言われたのを突然思い出し、顔だけではなく身体まで熱くなるのを感じた。

最近時々、こんなふうになることがある。アルヴァンのちょっとしたしぐさでベッドでのことを思い出してしまい、肌がチリチリと焼けるように熱くなってしまうのだ。声を聴いただけで、お腹の奥が疼くこともある。

毎晩のように睦《むつ》み合っているから、常に身体が彼を求めるようになってしまっているのだろうか？

どんどん彼に侵食されていくようでフィオーナは少し怖かった。

「王女様？」

あまりにそっぽを向いたままだったからだろう。怪訝そうなアルヴァンの声にフィオーナは慌てて振り返り、身体の反応を誤魔化すように言った。

「すみません。考えごとをしていて、あの、オ、オードウィン伯爵の言っていたことは本当でしょうか？　お父様がエリオス殿下の訪問を望んでいたというのは。それとも、オードウィン伯爵は外国の王族を迎えたいと望んでいる貴族たちの代表格だから、やっぱり独断でしたことでしょうか？」

そう尋ねながらもフィオーナはそれが真実だとは思っていなかった。父王がそう願っていたならまず自分に伝えてくるだろうと考えていたからだ。しかし、胸の病気で倒れるまで父の口からエリオスの話題が出たことはほとんどなく、あったとしても他国の王族の話題の一つとしてだ。だからフィオーナは父王が彼女に無断で招待しようとしていたとは思っていなかった。

　けれどそんなフィオーナの予想に反して、アルヴァンは彼女の髪を放してそっけなく言った。

「おそらく本当のことだと思います」

「……え？」

　フィオーナの心臓の音が一瞬だけ止まった気がした。

「オードウィン伯爵に招待するように指示していたかどうかは陛下の回復を待たないと分かりませんが……陛下にエリオス殿下を王女様の婿に、という希望があったのは確かだと思います。でなければオードウィン伯爵が具体的にエリオス殿下の名を挙げるわけはない。あの人は保身だけはうまいですからね。誰かの支持や思惑がなければあんなふうに動くことはあり得ないでしょう」

「つ、つまりお父様は本当に、彼を……？」

「ええ。そうだと思いますよ」

「そんな……」

　フィオーナは愕然《がくぜん》としていた。まさか、本当に父王はフィオーナの婿をエリオスに定めていたと？

「こそこそと陰で進めていたのは我々と議会に知られないようにするためでしょうね。大臣たちや議会も王女様の婿は国内から、という意見が大多数を占めていますから」

そうだ、いくら国王といえども勝手にフィオーナの花婿を決定することはできないのだ。国内派が大多数を占める現状、父王の希望は通らない。だからこそ……。

「で、では、父王がエリオス殿下を望んでいたと思うのなら、なぜあなたはオードウィン伯爵に証拠を出せと……？」

彼の考えていることが分からなかった。父王がエリオスを望んでいると分かっているなら、オードウィン伯爵を糾弾する必要はなかったはずだ。

もしかしたら、自分を渡したくないと思ってくれたのだろうか……？

ふとフィオーナの心にそんな淡い期待めいた考えが浮かんだ。けれどアルヴァンはあっさり一蹴する。

「もちろん、彼の動きを封じるためです」

「え？　動きを？」

「ええ。彼が陛下の思惑を盾に好き勝手できないように釘を刺させていただきました。困るのですよ。陛下が病に倒れて不安定なこの状況をかき回されるのは。王女様に名代となっていただくことで、ようやく平穏を保っているというのに」

「そ、そう……」

その冷淡な口調にフィオーナの心が沈んだ。

彼は、父王がフィオーナの伴侶にエリオスを選んだと聞いてもまるで関心がないのだ。彼が気にするのは政治のこと、国の安定のことだけ。

……でもそれも当然だ。アルヴァンは、国内での最有力候補でありながらフィオーナの夫になるつもりなどなく、欲しいのはこの身体だけ。それもこの国を支える対価として受け取っているだけなのだ。

それは分かっていたことだ。すべて了承してその手を取ったのに。

――フィオーナはアルヴァンの反応に傷ついていた。

＊＊＊

その夜エリオス王子たちを歓迎する宴が催され、フィオーナとアルヴァンはそれに出席した。

宴が終わった後、少し遅れていつものように秘密の通路を通ってアルヴァンの部屋に向かったフィオーナは、扉を開錠しようと手を伸ばす。ところが扉の向こう――部屋の中にアルヴァン以外の人間がいることに気づいて手を止めた。

中から話し声が聞こえた。

「私が帰国した時以来だな。懐かしい。その後、なかなか教授たちに連絡を取る暇がなかったが、お前はどうだ？」

「手紙のやり取りくらいはしていますよ」

声とその内容からするとこんな時間にもかかわらず、エリオスがアルヴァンのもとを訪ねているようだった。

「それにしても……私はあなたがオクロットに来るとは思っていませんでした」

アルヴァンの声は要人と話している時よりもぞんざいで、それでいてどこか柔らかな響きを宿していた。彼はその気になればとことん愛想よく振る舞える。けれど今彼の口調にそれがないということは、エリオスとはある程度気心が知れた仲なのだろう。

「そうか？」

対するエリオスの口調も、フィオーナを相手にしている時の礼儀正しいものとはやはり違っていた。

初恋の相手と、父親が婿にと望んだ男性が遥か遠い地で出会い、親しくしている――。

その皮肉にフィオーナの口元に苦い笑みが浮かんだ。

「ええ。私はあなたの望みを知っていますからね。あなたの望みは――だ」

肝心なところでアルヴァンの声が低くなってしまったためにフィオーナの耳には届かなかった。

「その望みを叶えるつもりがあるのならオクロットのような小国にかかずらっている場合ではないと思いますが？」

「ところが、そうでもないんだ」

エリオスは楽しげな口調になった。

「この国に来たことは十分私の役に立つ。例えば大掃除とかな。これがすめばかなり見通

しがよくなるだろうさ。それにそのことだけじゃない。ちゃんと私の望みのために必要だからこそこの国に来た」

「そうですか。それは結構ですね」

「何だ、私の目的に興味は湧かないか？」

「ええ」

アルヴァンはそっけなく言った。

「こちらの望みの邪魔をしない限り、あなたが何をしようと構いませんよ」

「相変わらずだな、お前は！　そうだ、お前の噂、うちの国にも届いてるぞ」

エリオスはくすくす笑い出した。

「『青銀の炎』などと言われているそうじゃないか。まるで水や氷のような容姿でありながら、敵には容赦がなくて、そのすべてを焼き払ってしまうことからついた名だって？」

「それは一部の者が言っているだけです。面と向かってそのような通り名で私を呼ぶものはおりません」

アルヴァンは鼻で笑った。

「青銀の炎」という呼び名ならフィオーナも聞いたことがあった。宰相に着任して間もなく、政務にすでに興味をなくしていた父や、病気を患《わずら》い政務の場から退いた前宰相の目を盗んで横行していた不正を、アルヴァンが徹底的に洗い出し、関係者を叩きのめしたからだ。その手段も断罪も苛烈なものだったらしい。

そこで密かについたあだ名が「青銀の炎」だった。もっとも彼自身はその呼び名に眉を顰めていたことから気に入ってはいないようだったけれど。

「まぁ、そんなに謙遜《けんそん》するな。それを聞いて私の目に狂いはないと思ったぞ」

「謙遜ではなく、正直な気持ちですよ。……ところで、そろそろ部屋にお戻りになった方がいいのでは？　誰にも言わないでここへ訪ねてきたのでしょう？」

「まぁな。連中、お前に気をつけろ、油断はするなだとさ。そんなことは私が一番よく分かっているというのに」

エリオスはくっくっと笑った。そんな彼にアルヴァンは淡々と返すのだった。

「その言葉、そっくりあなたにお返ししますよ」

やがて言いたいことを言って満足したらしいエリオスがアルヴァンの部屋を出て行く音がした。けれど万一のことを考えて隠し扉の内側で身を潜めていたフィオーナは、扉越しに突然呼びかけられてビクッと飛び上がった。

「フィオーナ。もう、出てきて大丈夫ですよ」

いつの間にか鏡の前に移動してきたアルヴァンだった。フィオーナはそっと息を吐くと、開錠してゆっくりと扉を開け、少し空いた隙間から部屋の中へと滑り込んだ。

「お待たせしてすみませんでした」

アルヴァンはフィオーナの肩に自分の上着を掛けながら言った。そこで初めてフィオーナは、自分が扉の内側に薄着で立っていたためにすっかり身体が冷えてしまっていることを自覚した。

アルヴァンの上着は温かかったが、とたんに寒さを覚えてフィオーナはぶるっと震える。いつもだったらそのまますぐベッドに連れ込もうとするアルヴァンも、ついさっきまでエリオスと話をしていたせいか、すぐにそういう気分にはなれなかったらしい。フィオーナを椅子に座らせると、自分も向かいに腰を下ろした。

椅子の上で冷えた身体を温めながら、フィオーナはいつもと違う状況に戸惑いを感じていた。

王の執務室で王女と宰相として二人きりでいるのではない。ここにあるのは男と女、あるいは脅迫者と被害者という関係だ。なのに、いつもとは違い、今は薄着のままこうして二人きりで何かするでもなく向かい合っているのだ。どういう態度を取ったらいいのか分からなかった。

「あの……さっき訪ねていらしたのは、エリオス殿下ですよね……？」

気詰まりになったフィオーナはおずおずと口を開いた。ずっと押し黙っていたアルヴァンは顔をあげて頷く。

「そうです。申し訳ありません、フィオーナ。まさか彼がこんな夜中に訪ねてくるとは思ってもみなくて。どうやら従者や他の使者たちにも何も告げずに来たようです」

「お二人は仲がよいのですね……」

思わず呟いた言葉に、アルヴァンは眉をあげてこう答えた。

「そうですか？　いえ、特に仲がよいとは思いませんが……」

「え？　でも仲よさそうに話しているように聞こえましたよ？」

　そう言ってからフィオーナは慌てて口を押さえた。これでは聞き耳を立てていたことを自ら告白したも同然だ。

　けれど、特にそのことを咎めることもなくアルヴァンは小さく息を吐いた。

「あれが仲よく聞こえたのなら互いに遠慮がなかったというだけですよ。ほとんどの会話は駆け引きでしたから」

「駆け引き……？」

　フィオーナは目を丸くした。扉越しとはいえ、駆け引きしているようには聞こえなかったからだ。

「ええ、そうです。腹の探り合いのようなものですね。北方の国にいる時からそうでした。同じ教授について学びながら、互いを油断ならない相手と思っていました」

　それからアルヴァンはフィオーナをまっすぐ見て警告をしてきた。

「確かに殿下は人当たりもよく気さくで誰にでも公明正大《こうめいせいだい》です。でもそれは彼の一面であってすべてではありません。油断されていると足を掬われることになります。これからしばらく滞在されるそうですから、彼と話をする機会も少なくないでしょう。その時はくれぐれも注意なさってください」

「わ、分かりました」

フィオーナは頷いた。まだエリオスとはきちんと話をしたことはないが、アルヴァンがそう言うのなら、きっとそうなのだろう。

フィオーナは不意に身震いするほどの不安に駆られて、肩にかけられたアルヴァンの上着をぎゅっと握り締めた。

「アルヴァン……エリオス殿下の目的とは一体何なのでしょうか？」

昼間からずっと気にかかっていたことをつい口にする。時期外れの使者としてやってきた彼らの目的は何だろうか？　本当に、オードウィン伯爵かもしくは倒れる前の父王の要請を受けて、フィオーナの婿になるつもりでやってきたのだろうか？

アルヴァンは首を横に振った。

「さぁ？　殿下の考えていることを推し量るのは難しい。彼の最終的な望みは分かっていますが、オクロットとどう繋がりがあるのか不明です」

「最終的な望み？」

「はい。ここでは言えませんが、留学していた時に本人から聞いたことがあります。先ほどの彼の発言からも、その目的のために動いているのは確かなようですが……」

「そう……」

フィオーナは心もとない気持ちになり、アルヴァンの上着の襟元を摑んで一層引き寄せた。

今まで父王が健在で、議会で意見が割れていたこともあってフィオーナの結婚の話が具体化したことはなかった。そのためフィオーナはついまだ先のことのように考えていた。

　彼女は今までいかに父王という存在に助けられてきたのか、初めて実感していた。今の彼女は剝きだしのまま無防備にさらされた状態なのだと。

　身を縮ませるフィオーナを見つめて、アルヴァンが低い声で尋ねる。

「……殿下のことが気になりますか？」

「……そうではないけれど……」

　この言い知れぬ不安を口に出すことができなくてフィオーナが唇を嚙み締めていると、何を思ったのか面白くもなさそうにアルヴァンは笑った。

「まぁ、エリオス殿下は陛下が選んだあなたの相手だ。父親思いのあなたが気になるのは無理からぬことではありますがね」

「え？　ち、違います！」

　驚いてフィオーナは顔をあげた。

「そんな意味ではありません！　彼らの目的が気にかかっているだけです！」

　そう言ってからフィオーナは、目を伏せた。

「……私にだって、お父様の希望がこの国を危険にさらすことになるのは、分かっているのです」

　このことだけは自分の口からは言うまいとフィオーナは思っていた。彼女が口にしてしまえば、その影響は計り知れない。だから婿取りについて自分の考えを出すことを控えていたのだ。

父王の希望を絶ちたくなくて。そして父王のあまりにも身勝手な願いから目を背けたくて。

「私の婿としてシュバール国とダシュガル国、そのどちらの国の王族を選んでも、オクロットを危険にさらすことになるのは……分かっているのです」

何も知らされていなかった五年前なら、きっとフィオーナは何も考えず父王の考えに従っていただろう。けれど今の彼女はアルヴァンに教育を受け、彼に認められたいと願いずっと密かに勉強してきた身だ。

だからこそ分かってしまった。父王の願いはオクロットという国を滅ぼしかねない危険なものであるということに。

アルヴァンや多くの大臣、それに議会を構成する有力貴族たちの大部分が王配は国内の貴族から選ぶべきだと思っているのは、何も外国出身の人間に対する拒否感からだけではないのだ。大きな理由の一つに今現在このオクロットを取り囲む情勢があった。

オクロットはシュバール国とダシュガル国という大きな国に挟まれている。この二つの国は昔から仲が悪く、争っているか、もしくは常に緊張状態にあった。今の王になってからは戦争こそはないが、お互いの出方を窺っている状態がずっと続いている。そしてオクロットはどちらの国とも友好関係を結んでいた。

そんな状況でどちらかの国の王族を女王の配偶者に選んだ場合はどうなるだろう？　オクロットはその国に属したものと相手国には映るだろう。国境を接している隣国が敵国にまわったことに恐れを抱くだろう。この国の主権を奪うために兵をあげることも十分考えられた。

そしてもしいざ戦争になったら、他のどこでもない、この国が戦場になるのだ。どちらが勝ってもオクロットという国は崩壊してしまうだろう。

これを回避するためには、国内から王配を選ぶのが一番妥当な方法だった。だからこそアルヴァンも前宰相も王に逆らって主張してきたのだ。

オードウィン伯爵を筆頭に、他国の王族をフィオーナの配偶者に据えたいと考えている貴族たちにも言い分はあるだろう。オクロットが王配の国と併合してしまえば、相手国は手を出してこないだろうというのが彼らの主張だった。けれど、フィオーナはそんなふうに楽観的には考えられなかった。

アルヴァンがかつて教育係を務めていた時、繰り返し彼女に言っていたことは「その選択がどんな最悪の事態を引き起こすかを常に予測し、対処できる範囲内でなければ決断してはならない」ということだった。それが一国の命運をあずかる王が常に念頭に置くべきことだと。

そして次期女王であるフィオーナは、国が滅びるかもしれない危険を冒してまでエリオスの手を取るわけにはいかないのだ。それが父王の望みだと分かっていても。

そう告げるフィオーナにアルヴァンは苦笑を浮かべた。

「そのとおりです。よく考えましたね」

「アルヴァンがずっと前に教えてくださったことです」

何も知らず、ただお飾りの女王になるしかなかったフィオーナに自分の頭で考えることを教え込んだのは他でもないアルヴァンだ。

「……そうですね、でも、教育係はもう必要はないようだ」

「そんなことは……」

まだまだ彼が必要だ。そう言おうとして顔をあげたフィオーナは向かいに座るアルヴァンの眼差しに気づいて口をつぐんだ。

彼はその紫の瞳にはっきりと情欲を宿してフィオーナを見つめていた。とたんにあたりに官能的な空気がただよい始めたような気がして、フィオーナは頬を染める。

それを見てアルヴァンはその薄い口元に淫艶な笑みを浮かべた。

「王女としての教育係はもう必要はありません。でも……閨での教育はまだまだ必要ですね、フィオーナ」

ぞくぞくとした震えが背筋を駆け抜ける。それとは裏腹にアルヴァンの上着に包まれた身体が急速に熱を帯びていく。

「もう寒くはありませんか？」

「は、い……」

もう、寒さなどどこにも感じなかった。

アルヴァンがフィオーナに手を差し伸べる。

「ベッドに行きましょう。フィオーナ」

「はい……」

フィオーナはためらいもなくその手を取っていた。床にばさりとアルヴァンの上着が落ちる。けれど、フィオーナもアルヴァンもそれを気に留めることはなかった。

――その夜、アルヴァンはいつもより執拗で、さんざん喘がされ狂わされたフィオーナは彼以外のすべてを忘れた。

激しく揺さぶられ、目の前の肉体にすがりつきながら、この腕に囚われていることに安堵を覚え始めている自分をフィオーナは自覚していた。

第五章　王女の選択

エリオスたちシュバール国の使者が城に滞在するようになってから一週間が経った。特に大きなトラブルはない。ただ、忙しい公務の間にフィオーナがエリオスの相手をする場面も時々見受けられるようになった。

動ける王族はフィオーナしかいないため、請われれば彼女がエリオスの相手をするしかないのだ。

この日、フィオーナはエリオスを伴って整備された中庭に出ていた。

「ほう、これは見事ですね」

エリオスが感嘆の声をあげる。

「ありがとうございます、エリオス殿下。庭師たちのおかげです」

微笑んで返答しながらフィオーナは内心ため息をついていた。

別にエリオスが嫌だというわけではない。彼は見目がよいだけでなく、明るくて優しい人柄だ。話もうまいし気詰まりなことはない。

けれどどうしても構えてしまうのは、やはり彼らの目的が依然として不明なことと、アルヴァンの警告があるからだった。

別にエリオスがフィオーナに思わせぶりなことを言っている訳ではない。彼は今のところフィオーナには礼儀正しい態度を崩さなかった。

だが周囲の者はどうだろうか？　エリオスの相手をして欲しいと要請してくる使者たちは？　彼らに意図はないと言えるだろうか？

フィオーナとエリオスを二人きりにさせ、話をさせたいという思惑があるように思えてしまうのは考えすぎているだろうか？

だが、少なくともオクロットの重臣たちはそう受け止めている者も多い。

「あやつら。普通の使者だと思って欲しいと言いながら、王女様に頻繁に殿下の相手をしろと要請してくる。王女様は公務で忙しいと分かっているだろうに！」

「フィオーナ王女、いちいち彼らに応じる必要はありませんぞ！」

彼らは口々に言ったが、実際問題として、力関係があるため使者たちの求めを断ることは難しかった。

このようにシュバール国の使者たちへの感情はよくないものの、大臣たちはエリオス自身に対しては特に悪感情は持っていないようだ。大国からの使者は下の者に横柄な態度を取る者も多く、みんな内心では嫌っているが、エリオスは身分の低い者に対しても気さくに接し、威張り散らすこともないため、使用人たちの評判もすこぶる良かった。「あの方が王女様の王配でもいいんじゃない？」などと言い出す者まで出てくる始末だ。それも計算の上での態度だったら空恐ろしい。

「私もね、実はシュバールで小さな庭を持っていまして、自分で世話をしているのですよ」

綺麗に整備された庭を二人で歩きながらエリオスは笑顔で言った。

「まぁ、エリオス殿下がご自身で管理を？」

それは珍しいことだとフィオーナは思った。普通王族は自分の手を汚して庭の手入れなどしない。いくらでも召し使いを使えるのだから。

そこまで考えてフィオーナはふとエリオスの出生と環境のことを思い出し、自分で庭の手入れをしたり、下々の者に分け隔てないのも無理はないと思った。

大国シュバールの現国王にはそれぞれ母親の違う三人の王子がいる。第一王子は身分の高い側室から生まれ、第二王子は王妃から生まれた。ところが第三王子であるエリオスの母親の身分は低く、彼は王宮で肩身の狭い思いをしながら成長したようだ。

第一王子派と第二王子派の間では今、王太子の座を巡って熾烈《しれつ》な争いが絶えないらしいが、エリオスは王位継承権はあるものの、もっとも王位からは遠い王子として見られている。だからこそフィオーナの婿としてどうかと父王は考えたのだろう。

「何を育てているのですか？　お花ですか？」

　この不遇な王子の育てている植物に興味が湧いたフィオーナは尋ねた。するとエリオスは苦笑しながら頭をかく。

「期待に添えず申し訳ないが、私が育てているのは花ではありません。薬草です。薬の元になるものを育てているのです」

「あ、もしかして――」

　フィオーナは薬草という言葉にピンときた。

「留学先ではアルヴァンと同じく薬学を学ばれていたのですね？」

「ええ。そうです」

　エリオスはにっこり笑った。

　王子であるエリオスが薬学を学んでいるとは思わなかったが、それなら植物を育てているのも納得できる。アルヴァンも実家のレイディス家の一角に薬草園を持っているらしい。

「エリオス殿下。留学先の北方の国でアルヴァンはどうでしたか？」

　知りたくてフィオーナはつい尋ねていた。そしてそんな自分を不思議に思った。彼を憎んでいるはずなのに、ともすればそんなことを忘れてしまいそうな自分がいるのだ。

「アルヴァンですか？　彼とは政治学と薬学で一緒だったのですが、どちらも優秀でね。ただ頭がいいとか記憶力がいいというのではなくて、習ったことを確実に自分のモノにしていました。正直こんな男がいたんだと、感嘆したくらいです」

「まぁ」

エリオスが認めるくらい優秀だったと聞いて、フィオーナは誇らしく感じた。

「国に帰って父親の跡を継ぐというのでなければ、シュバール国につれて帰りたかったほどです。あれほど政治家として優れている男もいない。そう思いませんか？」

「はい。アルヴァンのおかげで新たな産業もできて活気が出てきました」

「留学している時も祖国に何か産業があれば雇用も増えるし、税収も増えるのにって言っていましたよ」

アルヴァンという共通の話題を得て、二人の会話は弾んでいた。この時の二人を傍から見たら和気藹々《わきあいあい》と話をしているように見えただろう。

性別も年齢も違うせいか、フィオーナとエリオスの共通点はあまりない。だから今までは世間話に終始していたのだが、この時ばかりは違っていた。

何を聞かれても礼儀正しい笑みを浮かべて当たり障りのないことしかしゃべらなかったフィオーナが、今は本当の笑みを浮かべてエリオスの話に聞き入っている。笑い声をあげたり、その先をせがんだりする。フィオーナ自身には自覚はなかったが、明らかに違う様子はエリオスに疑惑を抱かせるには十分だった。

フィオーナはエリオスには油断するなというアルヴァンの忠告を忘れていたわけではない。だけど、この時、アルヴァンという共通の話題に夢中でつい気を抜いていたのも確かだ。

だから、次に来る言葉にとっさに取り繕《つくろ》うことができなかった。

エリオスがにこにこ笑いながら突然言い出したのだ。

「フィオーナ王女はアルヴァンを好いているのですね。好意ではなくて男と女の間に生まれる恋愛的な意味で」

「……え？」

突然この人は何を言い出すのだろう？

「隠さなくていい。彼のことを話すあなたはまるで別人のように生き生きしている。大声で気持ちを叫んでいるようなものだ」

「い、いいえ。そんなことは……」

本当に？　本当に自分はそうなのだろうか？

動揺のあまり、エリオスの動向に注意を払っていなかったフィオーナは次の瞬間、仰天した。何と彼はいきなり身をかがめ、フィオーナの首筋に唇で触れてきたのだ。

「なっ……!?」

あまりのことにフィオーナの身体が硬直する。エリオスは近づいてくる男にちらりと視線を送ったあと頭をあげて、呆然とするフィオーナに笑いながら小さな声で囁いた。

「あなたはアルヴァンと身体の関係がおありのようですね、フィオーナ王女殿下？」

「……っ」

フィオーナの鼓動が一瞬だけ止まった。

「あなたの身体からかすかにタリスの花の香りがする。この花の香りは抗菌作用の他に臭い消し効能があって、薬を扱う者が好んで使用するものです。もちろんアルヴァンも。そしてこの城の中でこの香りを纏っているのは彼だけだ」

「そ……れ、は……」

動揺してうまく言葉が出てこなかった。そのフィオーナの反応を愉しむようにエリオスはくっくっと笑う。それは今までの好青年ぶりとはかけ離れた笑いだった。

「香りが移るほど、頻繁に交わっているのですね。ああ、ご心配なく。誓って誰にも言いませんから。ただ……羨《うらや》ましいですね、アルヴァンが。あなたのように美しい方を我がものにできるとは」

エリオスは、青ざめるフィオーナの髪のひと房を掬い上げて手で弄ぶ。

「違い、ます。私は……アルヴァンとは……」

フィオーナは必死で何とか否定して誤魔化す言葉を探した。けれど頭が真っ白で何も思い浮かばなかった。

そこに淡々とした声がかかった。

「王女様、そろそろ執務に戻る時間です」

ビクッと飛び上がり、恐る恐る振り返ると、そこにいたのは無表情のアルヴァンだった。

――アルヴァンに……見られた？

フィオーナは小さく震えた。

エリオスはフィオーナの髪から手を離すと、まるで何事もなかったかのようににこやかに言った。

「お迎えのようですね。貴重な時間をいただきありがとうございました、フィオーナ王女殿下。とても有意義なお話ができてよかったです」

次にエリオスはアルヴァンに視線を向けた。

「アルヴァン。君の王女様をお返しするよ」

「そうですか、それはありがとうございます」

アルヴァンは冷淡ともいえる口調で答えると、フィオーナに目を向けた。けれどその紫の瞳には何の感情も宿っていない。

「王女様。いきましょう。仕事が溜まっております」

「わ、わかりました。それではエリオス殿下、これで失礼します」

フィオーナはかろうじて淑女の礼を取り挨拶すると、アルヴァンの後をついてその場を離れた。

「どうやらまだ割り込む余地はありそうだな」

二人の姿が視界から消えるまで笑顔で見送ったエリオスは、誰もいなくなった庭で一人意味深に呟くのだった。


「あの、アルヴァン……」

フィオーナは前を歩くアルヴァンに呼びかけた。エリオスに二人の情事を悟られてしまったことを伝える必要がある。

けれど、振り返ったアルヴァンはフィオーナの話を聞かずに急かすのだった。

「王女様、急ぎましょう。シュバールの使者たちが滞在を始めてから仕事が滞りがちで、すでに各所で支障が出始めております。少しでも進めないといけません」

「は、はい」

確かに彼の言うとおりだった。シュバール使者たちが強引にフィオーナの予定に割り込んでくるので、つい執務が滞りがちになっている。ほどほどにした方がいいと忠告されているのに、フィオーナが断りきれずに応じている結果だった。

フィオーナは落ち込んだ。また自分が至らないばかりにアルヴァンや皆に迷惑をかけている。そう思うとフィオーナの迂闊さからエリオスに二人の関係を知られてしまったことを言うのは憚られた。

それに、今のアルヴァンはどこか取り付く島がなかった。口調はいつもと変わらないのに、どこかフィオーナにエリオスのことを打ち明けるのをためらわせる頑なさが感じられた。

フィオーナは唇をそっと噛んだ。

幸いなことにアルヴァンと二人きりで仕事をする時間は多いため、後からいくらでもエリオスのことを伝える機会はあるだろう。フィオーナはそう思って自分を慰め、アルヴァンの後に続いた。

――けれど、ついぞその機会は訪れなかった。

アルヴァンの様子は執務室で仕事をしている間も変わることがなく、執務以外のことを口にできる雰囲気ではない。しかも今日は副官や他の者の出入りも特別に激しく、誰が聞いているかも分からない状態ではますます言うことはできなかった。

ならば夜、アルヴァンの部屋に二人きりになった時になら言えるだろうと思い、仕事に集中することにしたが、その機会は与えられなかった。

アルヴァンはフィオーナが秘密の通路を使って部屋に入るや否や、すぐにベッドに連れ込んだからだ。彼女はエリオスの名前を出す暇もなかった。

――その夜、アルヴァンはフィオーナを激しく抱き、執拗に攻め立てた。

アルヴァンの部屋のベッドで四つん這いになったフィオーナは顔をシーツに伏せ、白く丸いお尻をアルヴァンに差し出していた。

「ほら、もっとお尻をあげて、あなたのそのイヤらしい姿を私に見せなさい」

「あ、は、ぁ……は、い……」

軽くお尻を叩かれ促され、フィオーナは一層白い双丘を高くあげてアルヴァンの前に突き出した。

力の入らない膝と内股がプルプル震えて腰を揺らす。それすら扇情的で、目の前の男の欲望と加虐心を煽った。アルヴァンはフィオーナの双丘に手を伸ばし、優しく撫でながらふっとソコに息を吹きかける。とたんにビクッとフィオーナの腰が跳ね、蜜口がひくついて中から白濁した液をトロトロと零した。

「息を吹きかけただけなのに、感じたのですね、フィオーナ」

「……っ、ん……あぁ……」

フィオーナは恥ずかしさに顔を赤く染めシーツを握り締める。

もうすでに一度アルヴァンの猛った怒張を胎内の奥深くに受け入れ、子宮に熱い子種を受けた身だった。

彼の肉茎を引き出され、栓《せん》を失った蜜壷からは、引くつくたびに彼が放った白濁と彼女自身の蜜が合わさったものがトロトロと零れ、下肢を汚していく。目を覆いたくなるほどの淫靡な光景だろう。

それをわざわざ曝け出す姿勢を取らされ、フィオーナは泣きたくなる思いだった。

けれどそれとは裏腹に、快楽を与えられた身体は、自分の淫蕩《いんとう》な姿をアルヴァンに余すところなく視姦される悦びに震え、じわじわと奥から蜜を溢れさせるのだ。そしてそれをアルヴァンに見られているのかと思うと、更に羞恥と淫悦に苛まれる。その繰り返しだった。

「息を吹きかけられるだけで感じ、見られているだけで愛液を零す。とんだ好き者ですね、あなたは」

「い、言わない、で……！」

フィオーナの目に涙が浮かぶ。けれどそれは悲しみの涙だけではなく、嬲《なぶ》るような言葉にも感じてしまったための生理的な反応でもあった。フィオーナの胎内で膣壁がギュンとイヤらしく収縮する。まるでさっきまで埋め尽くしていた質量を求めるかのように。

再び愛液が溢れ、白濁と一緒に零れ落ちていく。

「無垢で清純な顔をしながら、ベッドではまるで娼婦のように貪欲に男の性器を咥え込んで離さないあなたを知ったら、皆はどう思うでしょうかね」

アルヴァンはフィオーナのお尻をいやらしく撫で回しながらクスクスと笑った。

「あ、……や、あ、そんな、私、は……」

「淫らな王女様」

その言葉にフィオーナの腰がビクンと揺れた。秘裂からはどっと蜜が溢れ出て、内股を滴り落ち、シーツを汚していく。

言葉だけで彼女が感じているのは確実だった。

「やれやれ、こんなに零して。いけない王女様ですね、あなたは。私の子種は零してはいけないと教えたはずでしょう？」

つぷっと音を立てて、いきなりアルヴァンの長い指が一本、蜜口に差し込まれた。

「あ、ああっ……！」

フィオーナの口から嬌声があがる。と同時に彼女の膣壁は入ってきた異物に嬉しそうに絡みつき、きゅっと締め付ける。アルヴァンはその襞を掻き分けるように中で指を蠢かせながら、知らず知らずのうちに腰を揺らすフィオーナの姿態を楽しそうに眺めた。

「本当にあなたは可愛い顔をして淫乱ですね」

「や、違う、違うの、私は……」

フィオーナはシーツに顔を伏せながらイヤイヤと首を振った。そう言いながらもアルヴァンの指の動きに合わせて、腰が動いている。

「いいえ、あなたはとても淫乱な女ですよ。こうして四つん這いになって獣のように後ろから犯されるのが大好きで、私の上で腰を振るのも好き。私の性器をしゃぶるのが好きで、子種を飲むのも好きでしょう？」

「……ああっ……！」

アルヴァンのそのイヤらしい言葉に、今まで彼に抱かれて快楽に流されて行った嬌態《きょうたい》を思い出し、フィオーナは真っ赤に染まった顔をシーツに押し付けた。けれど羞恥に震える心とは裏腹に、身体はその時に得た淫悦を思い出しどんどん熱くなっていく。子宮が疼き、指だけでは足りず、もっと質量があるものが欲しいと思った。

「フィオーナ、欲しいでしょう？　正直に言いなさい」

指でフィオーナの感じる場所を擦りあげながらアルヴァンが煽る。

「私のコレで奥まで突いて欲しいのでしょう？　その子宮に熱い子種を注いで欲しいで

しょう？」

その言葉にお腹の奥がキュンと収縮した。フィオーナはシーツから頭をあげたが、その顔はぼんやりとしていて、理性の色が消えつつあった。

「フィオーナ。私が欲しいと言いなさい」

その命令にカラカラに乾いた唇を唾液で潤すと、フィオーナは己の欲望に屈した。

「欲しい……です……。アルヴァンが欲しい、です」

一度口にしてしまえば、もう歯止めは利かなかった。後ろを振り向いて、フィオーナはアルヴァンに懇願する。

「お願い、アルヴァンをください……奥まで犯して、私の中に子種を注いでくださいっ……！」

フィオーナは自分が恥ずかしい言葉を自ら口にしているのを自覚していた。それでも膨れ上がった欲望は羞恥を押し流し、それどころか自分の口から出たイヤらしい言葉にも感じていた。

——ああ、彼の言ったとおり、本当に自分はどうしようもなく淫乱だ。

アルヴァンはくすりと嗤うと指を引き抜き、己の猛った楔の先端をフィオーナの蜜口に押し当てた。

「正直によく言えましたね。ご褒美をあげましょう」

「……ふぁ……！」

ぐじゅっと音を立てて先端が埋め込まれる感触にフィオーナの身体は戦慄《わなな》いた。

「ああ、あなたの中は蕩けきって、すごく熱くて気持ちがいい」

そのアルヴァンの言葉にフィオーナは心の中で喜びがさざ波のように広がっていくのを感じた。

彼が自分の身体で悦びを得ている——。

シーツに伏せるフィオーナの口元に笑みが浮かんだ。それは無意識に出た笑みだった。

アルヴァンはフィオーナの胎内に膨らんだ肉茎を押し込みながら手を前に回し、繋がっている場所よりほんの少し上にある彼女の充血した花芯をつまんだ。

「ひっ……あ、あ、ああっ……！」

フィオーナの口から嬌声がほとばしる。身体の中で一番敏感な場所を弄られながら、太いものがトロトロに溶けきった胎内に押し込まれていく感覚に、フィオーナは全身をぶるぶると震わせた。

「欲しがっていたものですよ、フィオーナ。じっくり味わいなさい」

「あ、あ、ふ、くっ、んんっ……」

肉茎が根元まで押し込まれ、突き出したお尻にアルヴァンの腰が触れるのを感じた。ドクドクと脈打つものが膣道を埋め尽くし、太い先端が奥深くに触れている。

アルヴァンは片腕をフィオーナの腰に回し、もう片方の手で花芯を弄りながら抜き差しを始めたが、その律動は最初から激しいものだった。

けれど一度アルヴァンの欲望を受け止めているフィオーナの身体はその激しさすら歓喜を持って迎え入れる。

ずんずんと奥に響く衝撃にフィオーナは甘い声をあげた。

「アルヴァン、アルヴァン……！」

焼け付くような快感に、もうアルヴァン以外のすべてのことがフィオーナの頭から消えていた。彼女は理性を手放し、悦楽に溺れていった。

「気持ちいいですか、フィオーナ？」

「……ん、は、い……気持ち、いいです……」

「やっぱりあなたは淫奔だ。でも、そんなあなたが好きですよ、フィオーナ」

「あ、ああっ、ん、う、嬉しいです」

「っ、もっと淫らになりなさい。快楽に狂い、堕ちて、私以外見られなくなるように……！」

「ああ、ああっ、は、激し……」

フィオーナは揺さぶられ、奥の感じる場所を執拗に突かれて涙を散らしながら甘い悲鳴をあげた。

ぐぷぐぷと猛ったものが出し入れされるたび、蜜と白濁が混ざったものが掻きだされ、内股を伝い落ちていく。その感触にもフィオーナは感じてしまい、アルヴァンの怒張を奥深くにくわえ込んだままぶるぶると震えた。それに連動するように中が蠢き、襞がうねるように脈打つものに絡みついていくのを感じて、また快感に戦慄くのだった。

「ぁっ……い……あっ、ぁ」

頭の中が真っ白になって何も考えられなくなっていく。

「ああ、すごく中がうねって絡みついてくる……フィオーナ、イキたいですか？」

ズンと奥を穿ちながらアルヴァンが尋ねてくる。その言葉にフィオーナはシーツに顔を伏せたまま必死に頷いた。

絶頂の波がすぐそこまで来ていた。

「そうですか。ではイキなさい」

アルヴァンはフィオーナの奥深くを穿ったまま、腰を回して中をかき混ぜた。

「ひぁっ……あっ、くぅっ……！」

震えるような快感が背筋を駆け上がる。そこに立ち上がった花芯をコリコリとすり潰すような愛撫が加わり、フィオーナは一気に頂点に押し上げられた。

「ぁあ、あ、あっ、あぁぁぁ、や、あ、だめぇ……！」

目の前がチカチカと瞬き、次の瞬間弾けとんで、フィオーナを押し流していった。

膝立てた足ががくがくと震え、力なく崩れていく。それでも律動は止まらない。アルヴァンは覆いかぶさるように身体を重ねると、敏感になり、うねるように襞が蠢き扱いてくるフィオーナの中を激しく抉るように突いてくる。フィオーナは絶頂の余韻に浸る間もなく、その激しい律動にただただ揺さぶられるだけだった。

「っ、くっ。出しますよ、フィオーナ。あなたの中で……！」

やがて、アルヴァンが腰を強く打ち付けながら言った。

フィオーナはガクガク揺さぶられ、喘ぎ声を漏らしながら答える。

「はい、アルヴァン。来て、ください。私の中に……ぁあっ……あンッ」

その声に応えるかのようにアルヴァンが一際強くフィオーナの中に肉茎を叩き込む。怒張が胎内でドクンと一際大きく脈打ち――そして爆ぜた。

「あ、っぁあ、あああああ……！」

フィオーナの口から甘い悲鳴があがった。ビュクビュクと奥に打ち付ける熱い飛沫《ひまつ》に、再び意識が飛んでいく。

「あぁぁ、あふ、んぁ……あ、は、ぁ、んんっ、奥が……熱い……」

ハクハクと苦しそうに息を吐きながらフィオーナの胎内は熱い子種を貪るかのように媚肉が蠢き、アルヴァンの肉茎に絡みついていく。

それを感じながらフィオーナは全身に駆け巡る法悦に身を委《ゆだ》ねた。

やがてアルヴァンがフィオーナの身体の上から身を離し、彼女の中から抜け出る。

「あん、ン……」

フィオーナは抜ける感覚にも悩ましい声を漏らしながら、うつぶせたまま小刻みに震えていた。アルヴァンを受け入れていた体勢のままシーツを握り締めながら荒い息を吐く。

アルヴァンは手を伸ばし、何度も打ち付けたせいで赤くなった双丘に触れた。フィオーナはびくっと震えたものの、それ以上動かなかった。もう動かす力がなかったのだ。

その閉じることを忘れたかのように開いたままの両脚の付け根を、双丘を摑んだまま割り広げてみると、赤く膨らんだ花弁の奥から肉茎の形のままぽっかり開いた蜜壷が覗いていた。

その空洞がビクビクとひくつくたびに吐き出されたばかりのアルヴァンの白濁を零して、シーツを汚していく。先ほどよりも更に淫猥なフィオーナの姿に、アルヴァンは欲望を募らせた。フィオーナの中に劣情を吐き出しても、なおその男性器は力を失っていなかった。

フィオーナをひっくり返して上向かせると、アルヴァンは彼女の膝を抱え、猛った肉茎でその空洞を貫いた。

「あっ、あ、やぁぁぁ！」

目を閉じて呼吸を整えていたフィオーナは突然貫かれて、目を見開きながらのけ反った。

「や、あ、ま、待って、アルヴァン……！　もう、無理なの……！」

フィオーナは悲鳴をあげた。もう疲れ果てて、これ以上受け入れるのは無理だと思った。けれど、彼女の中は再び胎内を押し広げていく怒張に嬉しそうに蜜を零しながら絡みついていく。

アルヴァンは彼女を揺すりたて、ぐじゅぐじゅと大きな水音をわざと立てながら揶揄した。

「ここは無理だとは言っていませんよ、フィオーナ」

「あっ、んぅ、ン、んんっ」

てらてらと濡れた肉茎が抜き出されて、再び隘路に突き入れられる。ずんずんと激しく奥を穿たれて、フィオーナは何度ものけ反った。

「あなたは私のものですよ、フィオーナ。私が満足するまで何回でも付き合っていただきます」

言いながら奥の感じる場所を執拗に突かれて、フィオーナはガクガク揺さぶられながら怯えた。彼の激しさが怖かった。まるでフィオーナを壊そうとしているような……。

「やっ、激しっ。アルヴァン、お願い……、もう……！　これ以上されたら壊れてしまう……！」

フィオーナは快感に喘ぎながらもアルヴァンに訴える。

するとアルヴァンの動きが少しの間だけ止まった。しかしやめてくれるのかと思った次の瞬間、前より激しく貫かれた。

「ああっ、んぁ、あ、ああっ」

「壊れればいい。壊れてしまえばいいのです。あなたなど」

「や、あっ、アルヴァン、やめ……ああ、やぁ、そこ、やぁ……！」

フィオーナはずんと穿たれ、その衝撃に身体を震わせながら何とか逃れようと最後の力を振り絞って、身を離そうとする。けれど、すぐに腰を摑まれ引き戻されてしまう。

穿つ激しさが一層増した。

「やぁ、あ、んっ、んはぁ」

いつしかアルヴァンの部屋にはフィオーナの喘ぎ声と、ベッドが軋む音、それに粘膜質な水音と肉を打つ音が響いていた。

脚を開かせるだけでは物足りなくなったアルヴァンは、今やフィオーナの膝を肩にかけ、折り曲げた華奢な身体を上から突き刺すように犯している。

「あっ、ふぅ、あ、んく、あ、ぁいぁ」

フィオーナは苦しげな息を吐きながら、その儚い蜜壷でアルヴァンのすべてを受け止めさせられていた。意識は朦朧とし、ただただ揺さぶられるだけになっている。

けれど、この二か月近く、毎日のように抱かれ慣らされてきた身体は、こんな苦しい体勢でも快感を拾ってしまう。弱い部分を徹底的に責められ、数度の絶頂を経た今のフィオーナの目に理性の光はなく、焦点のあってない青い瞳はぼんやりと空を見ていた。なのに口元には淫蕩な笑みを浮かべている。

アルヴァンはそんなフィオーナを見下ろし、くっくっと愉悦の笑みを漏らした。

「フィオーナ。今のあなたの顔ときたら。もはや王女ではなく、女……いいえ、雌ですよ。分かっていますか？」

彼は言いながら手を伸ばし、フィオーナの胸の先端の膨らみをぎゅっと引っ張った。

「あんっ」

とたんにフィオーナは鼻にかかったような甘い声を漏らす。アルヴァンを受け入れている隘路がきゅんと震えて肉茎に絡みついてきた。

「淫乱」

そう言って言葉で嬲ると、またフィオーナの胎内が震えた。

「やれやれ、やっぱりあなたは好き者だ。女王や王女ではなく、ベッドの中でこうして喘いでいるのがお似合いのようです。……ねぇ、フィオーナ」

アルヴァンはぐっと腰を落とし、フィオーナを深く貫きながらフィオーナの顔に自分の顔を近づけた。彼女は更に折り曲げられ、苦しそうに身じろぎをする。

アルヴァンは構わず、フィオーナの唇の上で囁いた。

「ねぇ、フィオーナ。いつか、あなたを壊してもいいですか?」

「ん、あ……ふぁ、ん……」

フィオーナは朦朧として何を言われているのかよく分からなかった。けれど、アルヴァンに促されて、ぼんやりと頷いていた。

「ありがとうございます、フィオーナ」

アルヴァンはにっこり微笑み、フィオーナの口を唇で塞ぐと、濃厚なキスを交わしながら追い込みに入っていく。

「……んっ、あふ、あ、んン」

苦しい体勢の中、口を塞がれ、揺さぶられながら、フィオーナはやがて身体の奥深くに熱い飛沫を感じた。

子宮の入り口に灼熱が流れ込み、震えるような快感が全身を貫いていく。

フィオーナは三度目のアルヴァンの白濁を受け止めながら、目を閉じる。そのとたん、意識が深い闇の中に沈んでいくのを感じた。


「……ん……」

フィオーナが目を覚ましたのはそれから数時間後だった。

目を開けて、薄ぼんやりとしたランプの光に照らされているのが自分の部屋ではないことが見て取れてハッとする。けれどすぐ身を起こすつもりが、全身がまるで鉛のように重いことに気づいて、戸惑った。

かろうじて動かせる範囲で首を動かすと、隣にアルヴァンの身体が横たわっていること、彼の身体越しに見える窓からはまだ夜明けは遠いことが見て取れてほぅと息を吐いた。

よかった。慌てて自分の部屋に戻らなくてもまだ大丈夫そうだ。

けれど、なぜこんなに身体が重くて動かないのだろう？

内心首を捻《ひね》ったフィオーナだったが、すぐに記憶が蘇り、自分の嬌態を思い出して両手で顔を覆った。

三度目の交わりのことはほとんど覚えていないが、一度目と二度目のことはよく覚えている。自分がしたことや言ったことも。

――ああ、本当に私は……！

恥ずかしくていたたまれなくて、フィオーナはアルヴァンと顔を合わせないうちに戻ろうと、何とか軋む身体を宥めて身を起こした。そのとたん、両脚の付け根から何かが流れてくるのを感じてハッとする。

それが何であるかはもうよく分かっている。身体はさっぱりしていて夜着を身につけていることから、気を失っている間にアルヴァンが身を清めてくれたようだが、中に残った白濁はそのままなのだろう。それが上半身を起こしたことで、足を伝わって流れていく。

拭わなければと思いつつ、フィオーナはいつもより量の多いソレに言い知れぬ不安を感じた。こんなに注がれて――いや、毎日のように交わって子種を受け止めて、妊娠してしまうことはないのだろうかと。

もちろん、フィオーナはアルヴァンの調合してくれた避妊薬を毎日飲んでいる。今日もここへ来る直前、きちんと服用してからやってきた。だから心配する必要はないはずだった。

なのにどうして今日に限ってはこうも不安に思えるのだろう？

月の障りはちゃんと訪れている。アルヴァンの薬が効いているのは確かなのに。

フィオーナはそっと下腹部に手を触れた。もちろんそれで何か分かるわけではなかったけれど。

「フィオーナ。どうかしましたか？」

突然アルヴァンの声が聞こえてフィオーナは飛び上がった。

アルヴァンはむくりと起き出すと、フィオーナの肩にそっと触れる。フィオーナはビクッとしたもののすぐに力を抜いた。

「アルヴァン。すみません。起こしてしまいましたか」

「大丈夫です。もともと寝ていたわけではなかったので。それより、夜明けまでにはまだ間があります。もう少し休んでから部屋に戻った方がいいでしょう」

「いえ、私は……」

すぐに自室に戻るつもりであることを伝えようとしたフィオーナは、そこでエリオスに言われたことを思い出して口をつぐんだ。

今のアルヴァンに昼間のような険のある雰囲気はない。今なら伝えられる。今言うしかないと思った。

フィオーナは意を決して顔をあげた。

「あの、アルヴァン。エリオス殿下のことなんですが……」

フィオーナはエリオスに二人が身体を重ねていることが知られたかもしれないこと。それを見破った理由が彼女の身体に染み付いたアルヴァンの香りだったこと、そして、誰にも言わないと彼が最後に告げたことを話した。

アルヴァンは彼女が説明している間、眉を顰めていたが口を挟むことなく、話し終えても何も言わなかった。何事かを思案しているようでもあった。

油断するなと言われていたのに、あっさり罠にかかったフィオーナに呆れているのかもしれない。

「アルヴァン、ごめんなさい。私がとっさに何も対処できず、否定もできなかったから……」

もしエリオスに詰問されたのがアルヴァンであったなら、きっと彼はうまく否定して相手に確信を持たせなかっただろうに。

アルヴァンはフィオーナの言葉に顔をあげた。

「いいえ。移り香のことを失念していた私の落ち度です。殿下の鼻が利くのは分かっていたのに……」

アルヴァンによれば、エリオスの特技の一つに香りからその薬に使われている主成分を割り出せる、というものがあるらしい。香りに敏感で、普通の人間では嗅ぎ分けることができないものも判別できるのだという。

「殿下にそんな特技が……」

フィオーナは唇をそっと噛み締めた。もし知っていたなら、何としてでも近づかなかっただろうに。

……いや、と彼女は首を横にふった。そもそもフィオーナは自分にアルヴァンの香りが移っているとは知らなかったのだ。だとすればやはりあれは避けられなかったのかもしれない。

「アルヴァン。どうしたらいいのでしょう？　誰にも言わないという彼の言葉は信用していいのでしょうか？」

　膝の上で拳を握り締めながらフィオーナは尋ねる。もし、エリオスの口から二人の仲が広まってしまったら――。

「信用してもいいと思いますが……いまひとつ彼の目的がはっきりしていないので……」

　アルヴァンはそこまで言って再び何事か思案した後、顔をあげてフィオーナを見つめながら突然言った。

「フィオーナ。あなたの伴侶に私を選んでください」

「……え？」

　フィオーナの心臓がドクッと大きな音を立てた。

「アルヴァン？　いきなり、何を……？」

「それがオクロットのためです。今あなたには婚約者がいません。この状況でシュバール側から結婚の打診をされたら断ることはできないでしょう。何しろ断る理由がありませんから」

「そ、それは……」

　彼の言うとおりだ。相手の決まっていないフィオーナには断る理由がない。打診された相手がエリオスならなおさらだ。知らない相手だからと時間稼ぎすることもできないだろう。

「それに我々の関係を盾にエリオス殿下に求婚される可能性もないわけではない。その時にフィオーナ、あなたは断れますか？」

フィオーナは息を呑んだ。この関係を盾にされたら、断ることはできないだろう。

「だったら、もし暴露されても構わない状況にもっていくしかありません。婚約者同士ならば……まぁ、婚前交渉に眉を顰める者も出てくるでしょうが、言いくるめることができます。だからフィオーナ、私をあなたの伴侶に、王配に選んでください。それですべてが解決する」

その淡々とした口調にフィオーナは傷ついた。アルヴァンの口調はまるで交渉の場で条件を提示するかのようだった。

いや、彼にとってはまさしく仕事の一環なのだろう。

フィオーナは小さく震えながら尋ねた。その答えを聞けばおそらく更に傷つくことが分かっていても聞かずにはいられなかった。

「アルヴァンは……王配に……私の配偶者に、本当になりたいのですか？」

フィオーナの質問に、アルヴァンは目を伏せ、すぐには答えなかった。彼には珍しく言葉を探しているようでもあった。

フィオーナの胸にちくりと痛みが走る。その態度はなりたくなかったのだと示しているも同然だったからだ。

「五年前までの私だったら……王配になどなる気はないと、答えたでしょうね」

「そう……」

　声が震えた。やはりと思った。王配にはなる気はなかったアルヴァンが、今になって彼女に求婚する理由は一つしかなかった。

　……国のためだ。宰相としては、そうする以外に道はないから。国のために彼は嫌々王配になるつもりなのだ。

　──馬鹿な私。答えなど分かっていたくせに。

　それでもフィオーナは深く傷ついていた。

　アルヴァンはフィオーナが震えているのをどう思ったのか、突然言った。

「でも今は構わないと思っています。……フィオーナ。シュバール国からこの国を守るためには、私を選ぶしかありません。王女としてご決断ください」

　──王女として。

　王女として選ぶなら、アルヴァン以上の相手はいない。王配候補のうち、彼ほど政治手腕に長けた人物はいないからだ。

　彼を選ぶならすべてが丸く収まる。シュバール国やダシュガル国からの申し出があっても断ることができる。この国は大国の覇権《はけん》争いの道具となることはなく、国も国民も平和なままでいられるのだ。

　王女として決断するなら、フィオーナはアルヴァンを選ぶ以外はない。……なのに、彼女の口から出たのはこんな言葉だった。

「……嫌、です。私は選びません……選びたくありません……」

正気の沙汰ではないと、頭の片隅で声がした。一方で、自分はまさしくあの父王の娘なのだと感じていた。王族としての義務より、自分の感情を優先してしまう……愚かな父娘なのだ。

アルヴァンはフィオーナの顎を掬い上げ、感情の読み取れない表情で彼女を見下ろした。

「フィオーナ。よく考えなさい。あなたの身体はすでに私のものだ。あなたは私以外を受け入れることはできない。私に嫁ぐしかないのです」

「……っ！」

フィオーナは息を呑んだ。

最初からアルヴァンにはフィオーナが彼を選ぶしかないと分かっていた。だからこそ宰相として留まる条件にフィオーナの身体を要求できたのだ。いずれ自分のものにできる身体と分かっていたから。

……もしかして、アルヴァンには身体を使ってフィオーナを懐柔《かいじゅう》しようという意図もあったのかもしれない。彼女がずっとアルヴァンを避けていたから。

だがそれはフィオーナの心をあまりに無視したやり方だった。

彼女は泣き叫びたい思いでいっぱいになった。それは彼女の中でどんどん大きくなり、やがてすべてを覆い尽くす。

フィオーナは目に涙を湛えアルヴァンを見上げ、はっきりと口にした。

「私はあなたを……王配には選びません」

　フィオーナの言葉は静かな部屋にやけに響いた。

「あなた以外にも国内には候補者がいますから。その中から相応しい者を選びます。私は……あなたを選ばない」

　……沈黙があたりを支配した。アルヴァンは無言のままフィオーナを見下ろす。

　やがて、彼はフィオーナの顎から手を外すと、静かな声で言った。

「分かりました。あなたの決断を尊重し、それに従います」

　その言葉にフィオーナの心に震えが走った。

「それと、もう私の求めに応じて、その身体を差し出さなくても結構です。あなたの身体は、あなたがこれから選ぶ伴侶のものですから」

　アルヴァンはそう言うと、ベッドから静かに降りて、ソファの背もたれに無造作に掛けてあった上着を手に取った。

「私はしばらく部屋から出ています。あなたは少し休まれてから、自室へ戻られるといいでしょう」

　上着を羽織り、戸口に向かったアルヴァンは、ふと足を止めてベッドの上で呆然としているフィオーナを振り返る。

「それから、心配はいりません。私はこのまま宰相の地位に留まり、臣下としてあなたのお力添えをしていくつもりです。王女様は十分私の求めに応えてくださった。今度は私がそれをお返しする番です」

彼はそう言うと、静かに部屋を出て行った。


フィオーナは気がつくといつの間にか自室に戻り、部屋の真ん中に立ち尽くしていた。

どうやって帰ってきたかは覚えていないが、大騒ぎになっていないところを見ると、秘密の通路を通って誰にも見られずに戻ってきたのは確かなようだ。

ああ、帰ってきたのだ。そしてもう二度とアルヴァンの部屋に行くことはないのだと考えたとたん、足の力が抜け、フィオーナは床に座り込んだ。

……すでに彼女は後悔していた。

両手で自分を抱きしめ、フィオーナは震えた。

自分が信じられなかった。アルヴァンの求婚を受けるべきだったのに、傷ついた感情に流され、断ってしまった。

涙がポタポタと零れて床に落ちていった。

——馬鹿な、私。

アルヴァンの言葉で傷ついたことで、フィオーナにはようやく自分の気持ちに気づいた。認めることができた。

彼を憎んでいるだなんて嘘だ。アルヴァンに対する気持ちは死んだと言いながら、少しもなくなってなどいなかったのだ。

そしてフィオーナは国のためと理由をつけて、本当は自分のためにアルヴァンを引きとめたかった。傍にいて欲しかったのだ。きわめて利己的な理由で。

身体を差し出すのだって、最初の頃は抵抗があったのに、途中からまったく気にならなくなっていた。抱かれる理由すらどうでもよくなっていた。

フィオーナは自分の身体で彼を繋ぎとめることにほの暗い悦びを感じていたのだ。彼に求められることが嬉しかった。だから簡単に溺れた。

……でも、それももう終わってしまった。

彼女は選択を間違った。王女としても、女としても。

愛してくれなくてもいい、嫌々王配になってもらうのでもいいからあの手を取ればよかったのに。

けれど傷ついた心はそれを拒絶し、結果フィオーナはアルヴァンを失った。……自業自得だ。

「馬鹿な、私……」

フィオーナはポツリと呟き、声を出さずに長い間泣き続けていた。

第六章　女王として

「おはようございます、王女様」

「おはようございます、アルヴァン」

二人は王の執務室で礼儀正しく挨拶をし、それぞれの机に向かった。

――日常が戻ってきていた。

夜、アルヴァンの部屋へ来るようにと命じられることはなくなり、執務室で二人きりになっても宰相としての態度を崩さない。

二人の仲は完全に王女と臣下の関係に戻っていた。フィオーナがかつて望んだように。

しかしフィオーナは、何も知らなかった頃の彼女ではない。アルヴァンによって純潔を散らされ、身体を開発され、毎晩子種が溢れんばかりに情熱的に身体を貪られてきた身だ。もう昔の無垢なフィオーナには戻れなかった。

フィオーナは自分の熱を持て余すようになった。夜になると身体が疼き、アルヴァンの愛撫やその手の感触、それに逞《たくま》しい肉茎に貫かれた時の充足感を思い出しては、胸の先端を尖らせ、蜜壷から愛液を零すようになっていた。

しまいには昼間、彼の姿を見ただけで子宮が疼くようになってしまった。

何度秘密の通路を通って彼の部屋へ行こうと思ったことだろう。けれど、自分から彼の求婚を断ってしまった手前、それはできなかった。

一人自室のベッドに横たわり、何度も夢想する。もしフィオーナがアルヴァンの申し出を断らなかったらと。

そうすれば、アルヴァンはフィオーナの婚約者として、きっと毎夜のようにこの身体を愛してくれただろう。

フィオーナは失って初めて、あの甘い牢獄が心地良いものであったことを知った。逃げられないと言いながら自ら望んであの檻《おり》に囚われていたことを思い知ったのだ。

けれどその甘い牢獄に戻る術はもうない——。

＊＊＊

「晩餐会、ですか？」

フィオーナは朝議の席で提案されたことに目を丸くした。

「いえ、舞踏会だそうです」

アルヴァンはやんわりと訂正したのち、他の大臣に意見を求めた。

「今説明したように、シュバール国の使いからエリオス殿下の誕生日を祝う催しをこの王城で開きたいという要請がありました。正直どうかと思うのですが、こちらで預かっている以上何もしないわけにはいきません。どう思いますか？」

「まったく図々しいとはこのことだな！」

大臣の一人が吐き捨てる。この意見にはどうやら大部分の重臣が同じ意見のようだ。

フィオーナも最初は耳を疑ったが、これが小国と大国の力の差というものだろう。

……きっと父王もこれと同じ、いやもっとひどく理不尽な要求を呑まされてきたに違いない。

けれど、今オクロットはアルヴァンが開発した新しい産業のおかげで少しずつ力をつけてきている。もっと発展できれば大国に侮られることもなくなっていくだろう。

「だが要請があったからには何かしら形にしないとマズイだろう」

穏健派で知られる大臣の一人が他の大臣たちを宥めながら発言した。アルヴァンは頷く。

「そうでしょうね。ただ、陛下がお倒れになって以来、オクロットでは晩餐会や舞踏会などの催しは自粛しています。そんな中でごく小規模とはいえ他国の王族のために王城で催しをするというのは納得できるものではないし、当然貴族たちの反感を買うことになるでしょう。そこで、陛下の在位二十周年も近いことですし、これに絡めて小規模な舞踏会も行おうかと考えています」

「うむ。それなら有力貴族も招待しやすいし、開催の主旨がぼやけるから反感を抑えることができるか……」

多数決の結果、父王の在位二十周年を記念した舞踏会を王城で開くことが決まった。そのついでにエリオスの誕生日も祝おうというのだ。

けれどフィオーナは不安だった。そんなおまけのような扱いでシュバールの使者たちが納得するだろうか？

執務室に戻った後で思わずアルヴァンにその不安を伝えると、彼は心配ないと告げた。

「彼らの目的はエリオス殿下の誕生日を祝うことではなく、おそらくこの国の有力な貴族たちにエリオス殿下の顔を売りたいのでしょう。あなたの王配候補として」

「……え？」

「王城で開かれる催しとなれば、国内の有力な貴族はたいてい出席します。その彼らの前にあなたが殿下と共に現れ、ファーストダンスを踊ったら、それはそれは効果的な宣伝になるでしょう」

フィオーナは息を呑んだ。

「舞踏会の主役である以上、あなたはエリオス殿下を蔑《ないがし》ろにはできない。一緒に入場し、貴族たちの前で彼を紹介し、そしてダンスを踊ることになるでしょう。おそらくそれが彼らの狙いです」

「なんてこと……」

そんな場面を見たら、貴族たちの中には誤解する者も出てくるだろう。フィオーナがエリオスを伴侶に選ぶかもしれないと。

「彼らの第一の狙いはそれですので、どんな扱いであろうと問題はないと判断するでしょう。むしろ陛下のお名前を使った方が貴族たちが集まるので好都合だと思うかもしれない。いずれにしろ、今回の扱いについて抗議の声が出なかったら向こうはそのつもりでいると思ってください」

「そんな……」

フィオーナは途方に暮れた。アルヴァンの言うとおり、王族であり舞踏会の主役の一人であるエリオスを蔑ろにすることはできない。王女であるフィオーナが彼のダンスのパートナーを務めることになるだろう。それを都合の良いように使われたら？

「それは困ります。一体、どうしたら……」

フィオーナは途方に暮れた。けれど、そんな彼女にアルヴァンは無情とも思える言葉を投げかける。

「彼らの計画を阻止するのは簡単です。あなたがそれまでに別の伴侶を定めればいいだけですから」

「……そ、それは……」

フィオーナの声が震えた。

アルヴァンはそんな彼女を他所にフィオーナの前に来て優雅に頭を下げた。

「この国の宰相として申し上げます。王女様には一刻も早く伴侶を定めていただきたく存じます。それも国内から。それがこの国の平和を保つ唯一の方法です」

「……っ」

……フィオーナは返事をすることができなかった。

立ち尽くしたまま、席に戻っていくアルヴァンの姿を見送る。しばらくして彼女はぎこちなく足を動かし自分の席に戻ると、崩れ落ちるように腰を下ろした。

胸が痛かった。他の誰でもない彼がそう言うのか、と心が悲鳴をあげた。

けれど、それもこれもすべては自分のせいだ。あのとき、王女として正しい選択をしなかったからなのだ。

そして失敗を取り戻す術がない以上、フィオーナは王女としてアルヴァン以外の男を伴侶に選ばなければならない。

けれど彼女は、それはどうしてもしたくなかった。いや、できなかった。

こうして何も策が思い浮かばないまま、舞踏会の当日を迎えることとなった。


「お綺麗ですわ、フィオーナ様」

「とてもお似合いです、姫様！」

新しいドレスを着たフィオーナに侍女のアーニャとレノアが感嘆の声をあげた。

フィオーナが身につけているのは、濃い紫色のバブスリーブ袖のドレスだ。品よく開いた襟と袖口、それにドレープから覗くスカートの裾には黒いレースが使われ、大人っぽく落ち着いたデザインになっている。

父王が病に伏している時なので派手なドレスを着るわけにもいかず、しかし、地味すぎないようにとドレスのデザイナーとアーニャを交えて話し合ってデザインしてもらったものだった。フィオーナの若々しさを引き出しながらも品のあるドレスに仕上がっていると思う。

フィオーナは姿見に向かって自分の姿を確認すると、支度を手伝ってくれた二人に笑顔を向けた。

「ありがとう、二人とも」

支度の終わったフィオーナは舞踏会が始まるまで時間があいているというので、アーニャを伴って父王の寝室へ向かった。

「お父様。在位二十周年おめでとうございます」

フィオーナはベッドに横たわり、ピクリとも動かない父王に声をかける。父親が倒れて以来、毎日のように部屋を訪ねてはこうして呼びかけていた。

「今日は舞踏会があるのですよ、お父様。お父様の在位二十周年をお祝いするもので、大勢の方が出席してくださる予定です。私、お父様の代わりを務めてきますね」

意識のない父王がその言葉に返事をすることはない。それでも構わずフィオーナは祝いの準備のこと、ドレスのこと、招待客のことを話し続けた。

やがて、時間がきてフィオーナは立ち上がり、父につきっきりでいる医師や侍従長にも声をかけてから父王の部屋を後にした。

——ずっと希望を持ってきたけれど……この先、お父様が回復されることはないのかもしれない。

廊下を歩きながらフィオーナはふとそんなことを考えていた。

いつか意識を取り戻して回復する。ずっとそんな希望をもっていたけれど、主治医の話ではここにきて心臓の機能が更に弱くなってきているらしい。たとえ意識を取り戻しても、心臓がもたなければ父王の命は……。

フィオーナは背筋にぞくっと冷たいものを感じて、思わず足を止めた。

「フィオーナ様？　どうかされたのですか？」

フィオーナが遅れたことに気づいたアーニャが怪訝そうに振り返る。

「い、いえ、何でもないわ」

フィオーナは頭を振って嫌な思いを振り払うと、再び歩き始めた。


「これはこれはお美しい……！」

控え室に入ったフィオーナを白い礼服も眩しいエリオスが迎えた。

「ありがとうございます、エリオス殿下。殿下もとても素敵ですわ」

フィオーナは微笑んで応じた。

アルヴァンの予想どおり、シュバール国の使いたちは父王の在位二十周年の祝いと併せてエリオスの誕生祝いを行うことに異議は唱えなかった。やはりアルヴァンの言うとおり、エリオスをフィオーナの伴侶候補として売り込むことが目的なのだろう。

何とか回避できないかと探ったが、当然のようにフィオーナのパートナーはエリオスが務めることになってしまった。もともとこうした祝いの席では王族のパートナーはできるだけ王族が務めることになっているため、フィオーナに逃れる術はなかった。

フィオーナに婚約者がいれば話は別だっただろう。けれど、フィオーナはアルヴァン以外の人間は選びたくなかった。

「そろそろ入場する時間のようです。お手をどうぞ」

エリオスはにっこりと笑ってフィオーナに手を差し出した。フィオーナはその手に自分の手を重ねながら、アルヴァンが一緒に入場する自分たちを見てどう思うだろうかと考えていた。

当然、アルヴァンもレイディス侯爵家当主としてこの舞踏会に出席する予定だ。フィオーナはアルヴァンの前でエリオスに手を取られて入場し、ダンスをする姿も見せなければならないことになる。

王族でいることに今まで不満を覚えたことはなかったが、初めてフィオーナはなぜ自分は王女なのだろうかと思っていた。

国の面子。慣例。義務。いろいろなものに縛られて窒息《ちっそく》しそうだった。それらすべてのしがらみやプライドも捨てて、彼だけを思うことができれば……。

「アルヴァンのことを考えているのですね？」

控え室を出てフィオーナを広間への扉の方に導きながら突然エリオスが言った。

「え!?」

フィオーナはハッとしてエリオスを見上げる。彼はフィオーナを見下ろしてにやっと笑った。

「前に言ったと思いますが、あなたはアルヴァンが関わる時だけ、とても生き生きしているんですよ。いや、生き生きというか、無防備……かな。あいつと喧嘩でもしましたか？」

「え？　いえ、あの……そういう訳では……ありませんが……」

不意打ちをくらって、またもやフィオーナはうまく対処できず、歯切れの悪い言い方をしてしまう。

「そうですか？　でも彼の話題になった時、最近のあなたはいつも辛そうにしている気がしましたが？」

庭での出来事以降も、エリオスに請われて時々話し相手になることはあったが、そこでアルヴァンの話が出てもフィオーナはうまく誤魔化せていると思っていた。けれど、それはどうやら間違いだったようだ。

「それは……そんなことは、ありません」

答えながらエリオスの鋭さにフィオーナは恐ろしさすら感じていた。この人は見ていないようで実に様々なものを見ている。それだけに、何を考えているのか分からなくて不気味だった。

「仲直りするなら早くした方がいい。……でないとこちらはいくらでもつけいることができてしまうよ」

エリオスは笑いながら言った。フィオーナは唇をそっと嚙み締める。

この人のこんなところが怖い。何が目的でフィオーナとアルヴァンに肩入れするような発言をするのだろうか。

彼とオクロットに来ているシュバールの使者たちはエリオスをフィオーナの王配にしたいという思惑があるのは確かなようだ。だがエリオス自身はそのことをどう思っているのか見えてこない。使者たちの思惑に乗っているようで、でも何かが違っていた。

第一、エリオスはフィオーナと二人きりになる機会はいくらでもあるのに、そんな時でもいつも礼儀正しい態度を崩さず、言い寄ったり思わせぶりなことを言ったことは一度もない。唯一の例外があの庭での出来事だった。けれどあれ以降、口外しないと彼自身が言ったとおりアルヴァンとフィオーナのことは誰にも告げていないようだ。

彼はその情報を盾にフィオーナを脅すこともできたはずなのに。

……分からない。彼が何を目的にしているのか、何を考えているのか。

エリオスは一人考え込むフィオーナの様子にクスクス笑った。

「そんなに警戒することはない。今はまだ言えないが……大部分において私は君たちの味方だよ」

フィオーナは眉を顰める。

「大部分において？」

「そう。……ああ、ほら、扉が開く」

その言葉にフィオーナはハッとして正面を向く。広間へ続く王族専用の重厚な扉が開かれようとしていた。

エリオスの言動は気になるが、今はやるべきことに集中しなければ。

背筋を伸ばし、顎をひくと、フィオーナはまっすぐ前を向いて一歩を踏み出した。


広間には大勢の招待客がいた。大半はこの国の貴族だ。その中に交じって諸外国の大使の姿も見える。彼らの目的はフィオーナではなくて、シュバール国の第三王子であるエリオスを見ることだろう。

フィオーナの伴侶を誰に決定するのか。彼らも興味津々なのだ。

群衆に交じってオードウィン伯爵の姿もあった。ずっと謹慎していた伯爵だったが、ようやく謹慎が解けてこの舞踏会にも出席することを許されたのだ。

どことなく機嫌がよく得意げなのは、彼の推すエリオスがフィオーナと一緒にいるからだろう。

アルヴァンもいた。黒の礼服に身を包んだ彼は数人の大臣たちと談笑していたが、フィオーナたちの入場に気づいて話をやめ、二人にじっと視線を注いでいた。

彼らのすぐ近くを通る時に一瞬だけフィオーナの歩みが乱れたが、それに気づいて素早く彼女の手を引いたエリオスのおかげで事なきを得た。

そしてその一部始終をアルヴァンの目が見ていた。

フィオーナとエリオスは赤い絨毯が引かれた広間をまっすぐ玉座に向かって歩いていく。他より一段高くなっているその場所の中央には豪奢な椅子が置かれている。今は空席である玉座だ。そしてその隣には玉座より小さい椅子が置かれていた。王女であるフィオーナの椅子だった。

フィオーナはその椅子のもとまでエリオスにエスコートされてたどり着くと、席に静かに腰を下ろし、ざわめきに包まれた広間を見渡した。

予想したとおり、フィオーナとエリオスが共に現れたことは、貴族たちに様々な憶測を呼んだようだ。王族なのだから一緒に入場するのは当然だと見る者もいれば、王女はエリオスを王配に選ぶつもりなのではと勘ぐる者や懸念する者もいた。

これでダンスを踊っているところを見られたら、どう思われることか……。今から頭が痛かった。だがダンス一つでいろいろな憶測や噂が飛ぶ。ここはそういう世界なのだ。

フィオーナはきゅっと口元を引き結ぶと、言動で足を掬われないように気を引き締めた。

壇上で決まりきった挨拶をした後は有力な貴族や諸外国の大使から挨拶を受ける。彼らにエリオスを紹介しながらフィオーナは次の展開を恐れていた。

挨拶が終われば舞踏会が始まる。

王城で開かれる舞踏会は必ず王族のファーストダンスから始めるのが慣わしで、フィオーナがこうした会に出席が許される年になると、いつも父王と踊っていた。もし父王が健在であれば、今日もきっといつものように父と踊っていただろう。

けれど、今日は一人だ。それゆえに、フィオーナがファーストダンスに選ぶ相手に意味があるものと周囲に捉えられるのは必至だった。

一方、来賓《らいひん》であり主賓でもあるエリオスとは踊らないわけにはいかない。

――フィオーナは窮地に立っていた。

挨拶がすべて終わり、王室専属の楽隊が前奏曲を奏で始めた。この曲が終わればダンス曲が奏でられていくことになる。

人々はフィオーナがどうするか、椅子に座る彼女に注目していた。その壇上に近づく男性がいた。エリオスだ。

固唾を呑んで人々が見守る中、エリオスはフィオーナに声をかけた。

「フィオーナ王女――」

後に続く言葉はダンスに誘う文句だったのか、それとも別のことだったのか。それを知る機会は永遠に失われた。

エリオスが次の言葉を発する前に、扉が乱暴に開かれ、血相を変えた侍従長が広間に現れたからだ。彼はまっすぐフィオーナのもとに駆け寄り、そして言った。

「姫様！　陛下が……！」

いつもは冷静な侍従長のその様子にフィオーナの顔がサッと青ざめた。フィオーナには侍従長が彼女の前に現れた瞬間、何が起こったのか分かってしまった。

父王の容態が急変したのだ。

――お父様が……。

フィオーナは震える足を叱りつけながら椅子から立ち上がり、ドレスの裾を摑んで走り始めた。フィオーナの頭の中は父王のこと以外すべてが消えていた。

大勢の招待客を広間に残し、フィオーナは入場した扉から出て行った。侍従長が後に続く。

広間では残された人々の間で動揺が広がっていた。彼らの間に瞬く間に国王の異変が伝わったのだ。

「陛下が……」

「もしやもう陛下は……」

ざわめく会場の雰囲気を制したのは壇上の下に現れたアルヴァンだった。

「静かに」

あげた片手とその一言でざわめきを収めたアルヴァンは、落ち着いた口調で人々に言った。

「気持ちは分かりますが、お静かに。ここで今皆様方が騒いでも何にもなりません。却って情報が錯綜《さくそう》する恐れがあります。ここは私や大臣たちで何が起こったのか確認してまいりますので、皆様はこのままこの場でお待ちください。決して広間から出ないようにお願いします」

アルヴァンはそう言うと、数人の大臣にこの場を任せて広間を出て行った。


「お父様……！」

フィオーナが父王の部屋に駆け込むと、そこはすでに悲しみに包まれていた。父王付きの侍女や侍従たちの啜り泣きがあちこちであがっていた。

「お、父様……？」

呆然とベッドに近づくと、そこには真っ白な顔で横たわる父王がいた。

「うそ……だって……」

数時間前に訪れた時は確かにしっかり息をしていた。触れた手も温かかった。時間になるまで一緒にいていろいろな話を聞かせた。なのに……。

「再び発作を起こして……心臓が耐えきれず、あっという間に……！」

父王の枕元にいた主治医が目を真っ赤にしてフィオーナに説明してくる。けれどフィオーナの耳にはほとんど入らなかった。

「お父様……嘘でしょう……？」

フィオーナは震える手を伸ばし、胸の上で祈るように組まれていた父王の手に触れる。その手はぬくもりを失い、すでに冷たくなっていた。

「嘘……嘘よ……」

目に涙が滲んでたちまち父王の姿が見えなくなった。ポロポロと零れて頬を伝わり、ベッドに落ちていく。

「お父様……嫌よ……私を一人にしないで……！」

フィオーナは父王に取りすがって泣き始めた。

「お父様！　お父様……！」

たった一人の肉親だった。フィオーナを誰よりも愛してくれた人だった。国民にとっては良い王ではなかっただろう。けれど、フィオーナにとってはかけがえのない父親だった。大好きだった。

「お父様、お父様！」

唯一のよりどころをなくし、とうとうフィオーナは一人になってしまったのだ。王女としてではない、彼女自身を愛してくれた人を失ってしまった。

「王女様」

どのくらい時間が経ったのだろう。ベッドに顔を伏せて泣いていた彼女の背中に触れる手があった。

「……アルヴァン……？」

フィオーナは涙で腫《は》らした顔をあげて振り返る。するとアルヴァンがフィオーナのすぐ後ろにしゃがみ込んでいた。

「アルヴァン。お父様が……！」

「ええ。分かっています。陛下は旅立たれたのですね」

アルヴァンはフィオーナの背中を慰めるように優しく撫でる。フィオーナは新たな涙が浮かんでくるのを感じた。

「私……一人になってしまったわ、アルヴァン」

「一人ではありません、フィオーナ。私や皆がついています」

——でもそれは、王女としてだ。フィオーナが求めているものとは違う。

目を閉じると、大粒の涙が頬を流れていった。再びベッドに顔を伏せ、肩を震わせているとアルヴァンは言った。

「王女様。悲しいのは分かります。でも今は堪えてください。皆が広間であなたがお戻りになるのを待っているのです」

「広間……」

その言葉で思い出す。舞踏会を途中で放り出して来てしまったことを。アルヴァンは広間に戻り職務を果たせと言っているのだ。

「私は……悲しみに暮れる時間すらもらえないのね……？」

震えるような吐息を漏らすとフィオーナは顔をあげた。

「申し訳ありません、王女様。あとでいくらでも時間は差し上げます。けれど、今だけは堪えて私と広間に戻ってください。きっと陛下もそれを望んでいます」

それは嘘だろうとフィオーナは思った。父王ほど職務を放棄していた君主もいないだろう。その父王がこんな時にフィオーナに王女として立派に振る舞うように望んだとは思えない。望んでいるのはアルヴァンの方だろう。

けれど、フィオーナはそのことに逆に慰められた。誰でも分かるような嘘を言ってまでフィオーナを戻らせたいのかと思うと、悲しみに沈んだ心に少しだけ笑いがこみあげたように感じたのだ。

「わかり……ました。広間に戻ります。アルヴァン……支えてもらえますか？」

フィオーナは今の自分がきちんと歩けるかどうか自信がなかった。

アルヴァンは力強く頷き、そして微笑んだ。

「もちろんですとも王女様……いいえ、女王陛下。私があなたを支えて玉座までご案内いたします。……あなたが望んでくれるのなら、この手はいつでもあなたを支えるでしょう」

人々がアルヴァンからの報告を待つ中、広間の扉が再び開いた。

その扉から入ってきたのは、アルヴァンに腰と手を支えられたフィオーナだった。

その場にいたものは皆、フィオーナの顔を見ただけで何が起こったのか悟った。目を真っ赤に腫らし、頬に涙が流れた跡も痛々しい。

固唾を呑んで人々が見守る中、アルヴァンに支えられたフィオーナはゆっくりと歩みを進めた。そして壇上にたどり着くとアルヴァンを伴ったまま先ほどまで座っていた椅子ではなく、玉座に向かった。

女の小さな身体には少し大きすぎる王の椅子に腰を下ろしたフィオーナは、アルヴァンの手を握り締めながら広間にいる人々を見渡して口を開いた。

「先ほど、国王陛下が崩御《ほうぎょ》されました」

その声は震えてはいたが、はっきりと人々の耳に届いた。

「皆にとっては良い王ではなかったかもしれません。それでも私にとってはかけがえのない父でした。その父のために、父が愛したこの国を私は守っていきたい。女の身では至らないことがいろいろとあるでしょう。でもこの国のために私に皆の力を貸してください」

目を腫らしながら、毅然と振る舞うフィオーナの姿にその場にいた者は心を打たれた。

どこからか拍手が沸きあがると、それは瞬く間に広間中に広がった。

「王女様……いいえ、女王陛下！」

「女王陛下！」

「女王陛下、万歳！」

女王への惜しみない賛辞の声と拍手の音はいつまでも広間に響き渡っていた。

――この日、オクロットで新しい君主が誕生したのだった。


「すばらしい口上でした」

大臣たちに後を任せ、広間から出て執務室に戻ってきたアルヴァンはフィオーナに笑みを向けた。

「よく頑張りましたね。正直に言ってあそこまでしっかり皆の前で宣言できるとは思っておりませんでした。私はあなたを誇らしく思います。元教育係としても、臣下としても」

それはフィオーナにとって何よりも嬉しい言葉だった。アルヴァンが教育係になった時から、フィオーナはずっと彼に認められることを願って努力してきたのだから。

フィオーナも彼に微笑を向けた。

「ありがとうございます。アルヴァン。あなたのおかげです」

玉座についてからもずっと彼が傍にいて手を握っていてくれたからこそ、フィオーナはあそこであの言葉を言うことができたのだ。

彼がいつでも支えてくれると言ったから――。

「アルヴァン」

フィオーナは蒼い瞳に静かな決心を湛えてアルヴァンを見上げた。

「はい？」

「お願いがあります」

「何でしょうか？　私にできることなら何なりと」

「……アルヴァンに、私の夫に、王配になってもらいたいのです――」

アルヴァンに支えられて玉座に座った時、フィオーナは悟った。

自分にはアルヴァンが必要だ。彼の力が、彼の助力が、自分を支える彼の腕が。

彼が自分を愛してくれなくてもいい。国のために王配になるのでも構わない。

女王としても、女としてもフィオーナにはどうしてもアルヴァンが必要なのだ。彼がいなければ生きていけないほどに。

だったらプライドも自分自身の身体も何もかも投げ出して彼に請おう。彼がフィオーナの肉体だけを求めているのなら、性欲を処理するだけもいい。この髪の毛一本残らず彼に差し出そう。国が欲しいのならそっくりそのまま渡してもいい。彼ならきっとフィオーナよりオクロットを治められるだろう。

全部全部あげるから。だから――傍にいて欲しい。

アルヴァンはフィオーナの言葉を聞いて眉をあげた。

「私にですか？」

「はい」

「私を選んでくださるのですか？　前は選ばないとおっしゃったのに？」

「……はい。この前はごめんなさい。私は……」

フィオーナは俯く。やはり駄目なのだろうか？　もう遅いのだろうか？

頭上でアルヴァンがふぅと深い息を吐いたのが聞こえた。今さらだと呆れられたのだと思い、フィオーナはビクンと震えた。

けれど次の瞬間、アルヴァンは思いもかけない行動に出た。その場でしゃがみ込んで片膝を立てたのだ。

「アルヴァン……？」

「謹んで、お受けいたします」

「――え？」

耳に届いた言葉が信じられなくて、フィオーナは呆けた声を出す。そんな彼女にアルヴァンは眉をあげた。

「聞こえませんでしたか？　あなたの夫になりますと申し上げたのです」

フィオーナは驚いてアルヴァンを見下ろす。視線が合い、彼が微笑んだのを見て、心臓がドクンと高鳴った。

「この手はどんな時もあなたを支えると言ったでしょう？　その言葉に嘘はありません。

あなたはただ望めばいい」

「だったら……」

フィオーナは震える声で言った。

「私の傍にいてください。ずっと傍にいて、支えてください。私の夫として。それが望みです」

……本当の望みは彼に愛されること。でもこれ以上望んではいけないのだ。彼が傍にいることだけで満足しなくては。

アルヴァンはフィオーナの手を取り、その甲に唇を落として言った。

「はい。この命が絶えるまでお傍にいさせてください。フィオーナ」


——翌日。オクロットの全国民に向けて王家から発表があった。

その内容は国王の崩御と王女フィオーナの即位。

それと、アルヴァン・レイディス侯爵が新女王の婚約者に選ばれ、議会に承認されたという報せだった。

＊＊＊

国民が新女王誕生と、王配が無事に決まったことに沸き立っていた頃、とある屋敷の一角で一人の男が部屋をぐるぐる歩き回りながら悪態をついていた。

「くそ、いいところまでいっていたのに、まさか陛下があのタイミングで亡くなるとは！」

オードウィン伯爵はギリギリと歯ぎしりをする。

そのせいでエリオスをフィオーナの夫候補として広める絶好の機会を逸してしまった。そればかりか国王が亡くなってすぐさまアルヴァン・レイディスが婚約者に決まってしまい、エリオスの立場も自分の立場もなくなってしまった。

シュバールの使者の話によれば、国王の崩御した今、彼らが駐留する建前がなくなってしまったことからエリオスが帰国を考えているようだ。

ここに来て、オードウィン伯爵の計画はもろくも崩れ去ろうとしていた。

もしこのままアルヴァン・レイディスが女王の夫になってしまったら――オードウィン伯爵の顔に嫌な汗が浮かんだ。

おそらく自分は破滅するだろう。そんな予感がしてならなかった。すでに彼に味方していたはずの貴族たちは彼を見限り離反し始めている。

一刻も早く何とかしなければ……。

その時オードウィン伯爵の頭にある計画が浮かんだ。これならあのアルヴァンを出し抜いてエリオスをフィオーナの夫に据えることができる。

「まだだ。まだ負けたわけじゃない」

オードウィン伯爵は血走った目で呟くと、すぐさま人を呼びにいかせた。
こんな時のために用意しておいた策謀《さくぼう》がどうやら役に立ちそうだった。

第七章　危機

「婚約おめでとうございます、姫様！」

「まぁ、ニナ、ありがとう」

アルヴァンの執務室から王の執務室へ向かう途中、元侍女のニナとばったり出くわしたフィオーナは、さっそく彼女から祝いの言葉を受けた。

「宰相閣下となら、美男美女でとてもお似合いです。私たち皆喜んでおりますよ。あ、この皆というのは書記室の皆という意味ですけど」

嬉しそうに笑いながらニナが付け加えた。

「書記室は宰相閣下の直属の部署ですからね。皆喜んでいるんです。閣下は姫様のことをすごく大事に思っていますからね」

フィオーナの顔に苦笑が浮かんだ。

「それは、宰相という立場だし、教育係でもあったから。きっと放って置けなかったのでしょう」

ニナはフィオーナの言葉を聞いて目を丸くした。

「え？　そうではありませんよ。あの……もしかして姫様は気づいていないんですか？」

「え？　何を？」

今度はフィオーナが目を丸くする番だった。ニナは周囲に人がいないのを確認すると、声を落とした。

「宰相様はフィオーナ様のこと、ものすごくお好きだと思います。実は一年半前、私が盗みをはたらいて姫様の侍女を外された後、帰国したばかりの閣下に呼び出されて厳しい尋問を受けたんです」

「え？」

初めて聞く話にフィオーナは顔色を変えた。

ニナがアルヴァンに尋問を受けていた？

「アルヴァンったら、なんてことを……」

「それはそれは厳しいものでした。洗いざらい話をした後もしばらく解放されなくて、姫様に害をなす人間ではないことと、私の言っていることは本当だったと確証が取れてようやく解放されたのです。あの後閣下は私に書記室の侍女の仕事を与えてくださいましたけど、それは、私を見張るためだし、私の処遇を気にかけていらした姫様のためです。どれだけ姫様のことが好きなんだって感じですよね！」

「ニナ……それは本当なの？」

ニナへの恩情が過ぎて呆れられていたのだとばかり思っていたけど、本当はそうではないのだろうか？

ニナは力強く頷いた。

「はい。父のために薬を調合してくれたのだって、姫様が私の父の容態を気にかけてくださってるからですよ。尋問は確かに辛かったですが、私は閣下には感謝しているんです。父のことはもちろん、姫様へ償いと恩返しをする機会を与えてくださったんですもの」

「ニナ。前にも言ったけど、償いとか恩返しとかそんなことを考える必要はないのよ。未遂だし、私に被害はなかったのだし……」

フィオーナは困ったように言うと、ニナは真面目な顔をして首を横に振った。

「いいえ。これはけじめですから！　姫様、私は絶対姫様をお守りしますからね！」

ニナは最後に謎の言葉を残して「仕事の途中だから」と言って足早に去っていった。

執務室に入りながらフィオーナは首を傾げた。

――私を守るとはどういう意味だろうか？

気になったものの、すぐにアルヴァンのことに頭がいってしまう。

ニナが言っていたことは本当だろうか？　アルヴァンがフィオーナを大切に思っているというのは……。

にわかには信じがたいが、それでもニナの話はフィオーナに希望をもたらした。

もしかして……もう少し自分はアルヴァンに望んでいいのだろうか？

「フィオーナ？　先ほど渡した書類ですが……」

いきなり扉を開けて入ってきたアルヴァンに、フィオーナは飛び上がった。

「ア、アルヴァン。ノックくらいしてください。びっくりするじゃないですか」

思わず抗議の声をあげると、アルヴァンは眉間に皺《しわ》を寄せた。

「ノックはしました。けれど返事がなかったので入ったのですが……」

「あら」

どうやら考えごとに気を取られて、ノックの音を聞き逃したらしい。

アルヴァンがスッと目を細めた。

「何か気にかかることでも？」

「いえ、あの、ニナと会って話をしていて……あの、一年半前にニナを尋問したというのは本当ですか？」

とたんにアルヴァンが顔を顰めた。

「そのことですか……。しましたよ、もちろん。あなたのように話を聞いて同情したらすぐに赦すというわけにはいきませんから。話が本当か確認する必要がありました」

「ニナは嘘なんて言いません」

フィオーナはムッとして口を引き結んだ。

「確かに嘘は言っていませんでした。だからこそ彼女をそのまま雇っているのです。近くにいれば監視しやすいですからね」

アルヴァンは確かにニナが語っていたのと同じことを言っている。ではニナの話は……。

フィオーナの顔が赤く染まった。

「フィオーナ。顔が赤いですね、熱でも……？」

アルヴァンは手を伸ばしてフィオーナの頬に触れてそっと撫でた。

「……んっ……」

フィオーナは久しぶりの接触にビクンと震え、声を漏らしてしまう。その次の瞬間、二人を取り巻く雰囲気が一気に官能的なものへと変化した。

二人は婚約したものの、キス一つ交わしていなかった。父王が死んだ直後で、それに続くフィオーナの即位。それにアルヴァンとの婚約と、大きな出来事が立て続けに起きて、二人とも目が回るほど忙しかったのだ。

ここにきてようやく一息つけるようになっていたが、二人の間の肉体関係はまだ再開されていない。そのため、フィオーナはずっと熱を持て余していた。それはアルヴァンも同じようで、不意に起こった接触が一気に二人の欲情に火をつけてしまった。

けれど以前のようにこの執務室で抱き合うわけにはいかなかった。ここはこれまで以上に、人の出入りが盛んになっていたからだ。

アルヴァンは紅潮したフィオーナの頬を再び撫でると彼女に屈みこんでそっと囁いた。

「今夜、私のところへ……」

フィオーナの身体がかぁっと熱くなり、子宮がキュンと疼いた。そこで何が行われるのか、フィオーナの身体も理解しているのだ。

「は、い……」

フィオーナは恥ずかしそうに頷いた。

＊＊＊

「何をソワソワしているのですか、フィオーナ様？」

戴冠式に着るドレスの生地を選んでいる最中、突然アーニャに指摘され、フィオーナは飛び上がりそうになった。

「い、いいえ、何でも……」

そう答えながら自分でも落ち着きがないのは分かっている。アルヴァンとの夜のことを考えるとじっとしていられなくなるのだ。

フィオーナは今日の夜の交わりが、かつて脅迫されてアルヴァンに身体を差し出していた時とはまるで違うものになるという予感がしていた。何しろフィオーナ自身の気持ちが変わっているのだから。

「気が乗らないのなら選ぶのはまた明日にしますか？」

生地見本の冊子を取り上げてアーニャが尋ねる。フィオーナは「いいえ」と答えた後で首を縦に振った。

「いえ、そうね。今日は何だか気が急いてしまっているので、明日にした方がよさそうね」

「承知いたしました。片付けますね」

アーニャはそう言って広げていた布の見本をテキパキと片付けていく。それを見ながらフィオーナは彼女におずおずと切り出した。

「アーニャ。これから行事も重なってくることだし、専属の侍女が二人だけだとキツイのではなくて？」

手を動かしながらアーニャは頷いた。

「そうですねぇ。手伝いは必要な時にそのつどしてもらっているのですが、レノアがあの調子だとやはり二人というのは手が回らなくて、キツイですね」

レノアは相変わらず遅刻が多く、仕事にもどうも身が入っていないようだ。フィオーナはそろそろ決断しなければと思っていた。他所の部署ならとっくにクビになっているだろう。今のままだとアーニャに負担がかかりすぎる。

フィオーナは意を決して尋ねた。

「ねぇ、アーニャ。ニナを私の侍女に戻しては駄目かしら？」

フィオーナが専属の侍女を増やさず必要な時に別の部署の侍女を借りて対処しているのは、侍女が集まらないのではなくて、いつか折を見てニナを自分の侍女に戻したいと思っていたからだった。

以前アーニャもレノアも反対したので実現はしていないが……。

アーニャはフィオーナの質問にあっさり答えた。

「ニナ？　私は構いませんよ」

あっさりしすぎて逆にフィオーナの方が確認してしまうほどだった。

「え？　いいのですか？」

「ニナは性格も明るくて話をしていて楽しいですから。正直レノアと働くよりニナと働く方がよっぽど……。とにかく、フィオーナ様がニナを戻したいのなら反対はしません」

「盗みを働いたことは気にならないの？」

その質問にアーニャはためらうことなく言い切った。

「気になりませんよ。だってニナは結局盗んでいませんでしたし、ちゃんと言いつけどおり返すつもりだったという言葉は信じていいと思います。レノアが騒ぎを大きくしなければ、問題になることではなかったと今では考えています」

それからポツリとアーニャは呟いた。

「盗人扱いして悪かったと謝らなければ……」

フィオーナは笑顔になった。

「ニナは怒ってないと思うわ。それに、アーニャが信じていることを知ったらきっと喜んでくれるでしょう。侍女のことは折を見て打診してみるわね」

「はい」

フィオーナは空回りしていた自分の世界が少しずつあるべきところへ戻ってきている、そんな気がしていた。


「それではフィオーナ様。おやすみなさいませ」

「おやすみなさい、アーニャ」

アーニャはフィオーナがベッドに入ったのを確認すると、次々灯りを消してから静かに部屋から出て行った。

フィオーナはアーニャの気配が遠のくのを確認してベッドから起き上がると、サイドテーブルに置かれたランプに火を灯す。けれどいつものように水差しからコップに水を注いだところで、手を止めた。

つい習慣で避妊薬を飲もうとしてしまったけれど、もうフィオーナたちには必要ないものだ。婚約したのだから。

もちろん婚前交渉は眉を顰められる行為だが、早く世継ぎをと望まれているフィオーナに限ってはそれほど咎められることでもないだろう。

——アルヴァンとの子ども。

そのことを考えるとお腹の奥で蝶《ちょう》が羽ばたいているかのような、むずがゆいような気持ちになる。

「私ったら変ね」

まだ子どもはできていないし、これからなのに……。

その時、突然ノックの音が響いた。フィオーナは慌ててランプの火を消して、ベッドに入り込みながら返事をする。

「どうぞ」

「姫様？　起きていらっしゃいますか？」

扉が開いてそうっと顔を出したのはレノアだった。

フィオーナは目を瞠る。

「レノア？　どうしたの？」

今日レノアは休みを取っていたはずだ。数日前に家族に会いに行きたいと突然言い出し、急に休みを取ったため、アーニャが代わりを手配するのに苦労していたことは記憶に新しい。

「姫様。こんな夜分遅くに申し訳ありません」

レノアはランプを手にフィオーナの部屋に入ると、ベッドまでやってきて声を落として言った。

「お迎えにあがりました。宰相様が姫様をお待ちです」

「アルヴァンが？」

フィオーナは戸惑いを隠せなかった。昼間来るように言われた時はてっきりいつものように秘密の通路を通っていくものとばかり思っていたのだが。

まさかレノアに迎えにこさせるなんて……？

「何の用件か伺ってる？」

レノアは首を横に振った。

「申し訳ありません。そこまでは。姫様を呼んで来て欲しいと頼まれただけですので」

「そう……」

フィオーナは起き上がり、ランプに再び火を灯すとレノアに言った。

「レノア。着替えるわ。手伝ってちょうだい」

アルヴァンが何の用で呼んでいるのか分からないが、人を介して呼びにくるくらいなのだから、きっと情事ではなくて別のことで話があるのだろう。

そう思い、夜着から着替えようとしたのだが、レノアはまたもや首を横に振った。

「いいえ、姫様。そのお姿のままでいいそうです」

「でも無作法よ？」

レノアはくすっと笑った。

「姫様。姫様のそのお姿を無作法だと咎める男性はおりませんわ。もちろん宰相様もですよ」

「そ、そう」

フィオーナは頬を真っ赤に染めた。確かにアルヴァンはフィオーナのこの姿に文句をつけたことはない。脱がしやすい服で、自分を誘っているのかと言われたことはあるけれど。

「分かりました。このまま行きます」

フィオーナはストールを羽織ると、レノアの案内で部屋を抜け出した。


人気のない廊下をレノアの後について歩くフィオーナは、アルヴァンの用件が何なのか考えていたため、レノアが向かっている方向にはまったく注意を払っていなかった。

アルヴァンの部屋と方向が違うことに気づいたのは部屋を出てしばらく経ってからだ。

「レノア。本当にこっちでいいの？　アルヴァンの私室も執務室もこちらではないわ」

「いえ、確かにこちらにお連れするように承っています」

よどみなくスラスラ答えるレノアを疑う理由はなかった。彼女を信頼していたし、アルヴァンには確かに部屋に来るように言われていたからだ。

それでも違う方向で、しかも人気がない道を進んでいるうちにどんどん不安を覚えていった。

「レノア？　こっちの方は確か来賓の方々の部屋ではなくて？」

ようやくレノアがどこに向かうつもりなのか分かってフィオーナは困惑した。ここは賓《ひん》客《きゃく》用の部屋が集まる一角に向かう廊下だ。そしてその一角は、今はシュバール国の使者やエリオスたちが使用している。

「そうです、確かにこちらに姫様をお連れしろといわれているのです」

フィオーナが声をかけると、角を曲がる直前でレノアが振り返った。

「もうそろそろ到着しますわ、姫様」

「そ、そうなの？」

「はい。宰相様がお待ちです」

レノアはにっこり笑って促した。その言葉を信じたフィオーナだったが、角を曲がったところで足を止める。三人の見知らぬ男たちが廊下を塞ぐように立っていたからだ。

「レノア、これは？」

どういうことだ、と驚いて振り返ったフィオーナは、レノアの後ろにもいつの間にか別の男たちが退路を断つように立っているのに気づいた。

「申し訳ありません、姫様」

ランプを手にしたレノアが頭を下げる。けれどその顔は笑みを浮かべたままだった。

「宰相様が待っているなんて嘘なんです。待っているのは姫様の真の夫になる方」

「真の夫……？」

「騙《だま》してすみません、姫様。でも姫様はお優しいから、許してくださいますよね？」

「……っ！　いやっ！」

いつの間にか背後に忍び寄っていた男の一人がレノアに気を取られていたフィオーナを

羽交い締めにした。

　男の腕から逃れようともがくフィオーナの口にハンカチーフが押し当てられる。とたんにむせ返るような花の香りが鼻腔をつく。その香りを嗅いだとたん、フィオーナの身体が痺れたように動かなくなった。力を失い、男の腕の中にクタッと落ちていくフィオーナにレノアが楽しげな声で言った。

「大丈夫ですよ、姫様。その薬は一時身体の自由を奪うだけだそうですから。薬が抜けて動けるようになるまでにすべてが終わっています。姫様は心配なさらず身を委ねていればよいのです」

　レノアはそうフィオーナに言った後、男たちに命令した。

「さぁ、例の部屋にお連れして。丁寧に扱ってちょうだいね。あなたたちの主君の奥方になる方なのですから」

　フィオーナは一指も動かせず、声も出せない状態で男たちの手でどこかの部屋へと運ばれていった。


　男たちとレノアがフィオーナを連れて去っていった廊下には、蠢く二つの影があった。一つは背の高いシルエットを持ち、もう片方は小柄な女性のようだった。

　物陰から一部始終を見ていた彼らはフィオーナが連れ込まれた部屋を確認すると、一人を残してその場から速やかに去っていった。

彼女は与えられた使命を果たすべく、人気のない廊下を音も立てずに走っていく。そしてたどり着いたのはある部屋だった。

小柄な女性――ニナが扉を開けて入ると、そこにはいくつもの死体が転がっていた。

「ひっ」

ニナは思わず近くにいた顔見知りの背の高い男――森の散策の時に狼によって負傷したあの兵士――に抱きつく。ニナを戦闘から守ろうととっさに背に庇った兵士は、自分の上司が最後の敵を倒したのを確認するとふっと肩の力を抜いた。

「こ、これは一体どうしたことです？」

ニナは恐々と男たちの死体を見つめながら部屋の持ち主であるアルヴァンに尋ねた。アルヴァンは手にしていた剣を収めながら淡々と答える。

「ご覧のとおりどなたかがよこした暗殺者の方々ですよ。団長たちがすぐに駆けつけてくれて助かりました。私は、頭脳労働は得意でも肉体労働は不得手なので」

そう言いながらもアルヴァンの足元には黒い布で顔を覆った暗殺者が転がっている。

一体誰が――ニナが尋ねようとしたところで、大事なことを思い出し、アルヴァンに訴える。

「閣下！　姫様が攫《さら》われてしまいました！　あの女が姫様を裏切ったんです！　すぐに姫様を助けてください！」

「……なるほどこちらは陽動でしたか。ニナ、フィオーナが連れて行かれた場所は？」

「城の南側。シュバール国の使者たちが今使っている一角の貴賓室です」

アルヴァンは舌打ちをすると、真っ先に駆けつけてきた団長――森の散策の時に護衛の責任者だった男――に顔を向けた。

「団長。すぐに兵を集めて向かってください。ニナは兵の案内を。私は一足先に向かいます」

そう言ってアルヴァンが向かったのは入り口ではなく部屋の片隅にある姿見だった。

「え？　先にって……閣下？」

彼は唖然とする部下たちを他所に、姿見の周囲に彫られた薔薇の模様を、フィオーナが触っていたとおりに触れていく。正確に、一個も違えずに。

やがてカチッと音がしたかと思うと、姿見に偽装されていた隠し扉が姿を現す。

「か、か、閣下。それは……！」

アルヴァンは隠し扉を開き、驚く彼らを振り返ると「内緒ですよ」と言い置いて、秘密の通路に消えていった。


動けないフィオーナが連れて行かれたのは賓客用の部屋が並ぶ一角の中でも一番大きな貴賓室だった。

「ごめんなさい、姫様。私、彼と結婚するために持参金が必要なのです」

部屋までついてきたレノアはベッドに横たえられたフィオーナの夜着を剝ぎ取りながら、嬉しそうに説明した。

「でも我が家にはお金がなくて困っていたら、たくさんお金を稼げる良い話があるからって誘われて。姫様には悪いなと思ったんですが、最終的には姫様のためになるお話だから、構いませんよね？」

構わないわけがない。フィオーナはレノアの裏切りに傷つきながら一生懸命身体を動かそうとした。けれど、彼女の身体は少しも動かせず、声も出せなかった。

――アルヴァンの言うとおりだった。自分がよかれと思ってやってきたことはすべて無駄だったのだ。

レノアの裏切りはフィオーナにとってはショックなことで、今まで自分がやってきたことすべてに意味がなかったのではと思わせるに十分な出来事だった。

「こんな小国の宰相を夫に選ばなくていいんです。大国の王族の一員になれるのですよ」

言いながらレノアはガラス瓶と真鍮でできた容器の蓋を開けた。中からクリーム状のものをたっぷりと手に取りながら、フィオーナの裸体を見下ろす。

「姫様はご存知ないかもしれませんね。これはセンナという花の雌しべを使った軟膏なんです。痛み止めですから、姫様のココに塗らせていただきますね」

――センナの軟膏……!?

フィオーナは震えあがった。その効能は身をもって知っている。

「初めての姫様はきっとすごく苦痛を感じると思うんです。でもこの軟膏があれば大丈夫。すぐに夫となる方の腕の中で気持ちよくなれます」

レノアはためらうことなくフィオーナの脚を開くと、その付け根にセンナの軟膏をすり込んでいく。ヒヤリとした軟膏と、それを塗るレノアの指の動きが気持ち悪く感じた。アルヴァンの指にはあれほど快感を覚えたのに。

センナの軟膏の効果であるジンとした熱さが蜜壷に広がっていっても、フィオーナは誰かをソコに受け入れ、解放されたいとは思わなかった。フィオーナが求めるのはアルヴァンだけだ。

――アルヴァン！　アルヴァン……！

彼のことを考えると泣きたくなってしまう。今頃、いつまで経っても訪れないフィオーナをあの部屋でじっと待っているのだろうか。彼女の危機を知らないで。

フィオーナは怯えていた。声も身体も動かせない状態で自分がこれから何をされるか理解できてしまったからだ。

「準備はできたかね」

貴賓室の扉が開いて男が部屋に入ってくる。動けないフィオーナには姿を見ることができなかったが声で誰だか分かった。外務大臣のオードウィン伯爵だ。

「はい、伯爵様。姫様はいつでも受け入れることができますわ」

「それは上々。では殿下をお連れするか。レノア。お前の役割は分かっているな」

「もちろんです。姫様を朝起こしに行った後、姿が見えないと言って大騒ぎするんですよね。そして姫様に請われて昨晩殿下のもとへお連れしたことを話して、大臣たちを連れてこの部屋を訪ねる、と。そこにはエリオス殿下と契りを結んだ姫様の姿が。そこで私はしばらく前からお二人が恋人同士だったことを証言すればいいのですね」

「ああ。物的証拠も証言もあることだし、大臣たちも受け入れざるをえまい。そして殿下とフィオーナ女王との結婚を認めないわけにはいかなくなるだろう」

フィオーナは二人の話を苦々しい思いで聞いていた。悔しかった。動けさえしたら、声一つ出せたら、彼らの思いどおりになどさせないのに……！

レノアとの会話を終えたオードウィン伯爵が部屋を出て行く。レノアはフィオーナの顔を覗き込んでにっこり笑った。

「では姫様。私はこれで。また朝お会いしましょう。まぁ、薬は半日ほど抜けないそうですから、朝顔を合わせた時は殿下の腕の中で夢見心地かもしれませんけどね」

レノアは楽しそうにそう告げると、部屋を出て行った。そのレノアがいなくなって数分も経たないうちに今度はオードウィン伯爵が戻ってきた。エリオスを連れて。

「オードウィン伯爵。人をこんな夜更けに呼び出すとは何事か？」

その声を聞いてフィオーナはホッと息をつく。どうやら彼はオードウィン伯爵たちの計画に加担していないようだ。

「殿下に極上の贈り物がございます。こちらです」

オードウィン伯爵とエリオスと思われる人の気配がベッドに近づいてくる。エリオスがフィオーナを見つけ、息を呑んだ。

「これは、フィオーナ女王!?　オードウィン伯爵！　お前一体何をした!?」

怒りの混じったエリオスの声が部屋に響き渡る。

「女王様が自ら殿下に捧げたいと言いましてな」

「見え透いた嘘を言うな。何を使った？　認可されてない類の薬か？」

「滅相もありません！」

オードウィン伯爵は慌てて答えた。

「少しの間身体が痺れて動けなくなる薬を使ったのです。ですが、殿下のところの大使殿が持参してきたものですぞ！」

「ちっ、大使ともあろうものが」

エリオスは舌打ちした。確かにこのような痺れ薬を何の目的があって所持しているのか尋問する必要があるだろう。

オードウィン伯爵はエリオスを諭すような、あるいは懐柔するような口調になった。

「殿下。殿下は本国からフィオーナ女王の王配になるように言われてここにいらっしゃっているはず。そのためにわざわざこの国にいらしたのでしょう？」

「……まあな」

一瞬だけ間を空けてエリオスは返答した。

「ですから今が最後のチャンスなのです。フィオーナ女王の身体を奪えば王配の座はあなたのものです。宰相であるアルヴァンであろうと文句は言えません。何しろ女王様が自らあなたに捧げるのですから」

――捧げてなどいません！

フィオーナはそう叫びたかった。けれど相変わらずフィオーナの身体はベッドに横たわったままでピクリとも動かなかった。

「既成事実さえできれば後はこちらで何とかいたします。どうか女王様の身体をお受け取りください、殿下。それがシュバールの利益に繋がるのです」

「……分かった」

低い声と共にベッドがエリオスの重みで軋んだ。

――まさか、本当に？

フィオーナは内心震えあがった。今までのやり取りからエリオスは自分には手を出さないのではと思ったのに。

エリオスがフィオーナの視界に入る。その表情からはやはり何も読み取れなかった。

彼はフィオーナを見下ろした後、細い首筋に手を伸ばした。そろりと首から鎖骨までを撫でられてフィオーナはゾクッと震えた。薬によって痺れて動かせないくせに、触れられている感覚だけはダイレクトに伝わってくる。

認可されてない類の薬かとエリオスが問うた理由が分かる。これは、感覚や感触だけを残して、人を人形のように陵辱するための薬だ。

そのようなものを使われて果たして身体に影響がないと言えるのだろうか？

不意に首筋を触っていたエリオスが覆いかぶさってきて、フィオーナに口付けをした。フィオーナは顔を背けたかったが、なす術もなく唇を奪われる。

薄く開いた唇からするりとエリオスの舌が滑り込んでくる。エリオスの舌はフィオーナの咥内を嘗《な》め回し、彼女の味を堪能していった。

ほどなくしてフィオーナの唇を解放し、顔をあげたエリオスはにやりと笑った。

「なるほど、ジダリス系の薬だな」

心の中で悲鳴をあげていたフィオーナはその言葉に「え？」と思った。

フィオーナに覆いかぶさったまま、エリオスがオードウィン伯爵に視線を向けて先ほどとはまるで違う口調で問いかけた。

「お前、アルヴァンを出し抜けると本当に思っているのか？」

オードウィン伯爵は余裕の表情で答える。

「もちろんですとも。あの青二才のもとへは私兵を向かわせました。今頃そちらの対処で精一杯で女王様のことには気づいていないでしょう。気づいた時はもうすでに遅く、女王様はあなたのものになっているわけです。それを知った時のあの男の顔を見るのが今から楽しみですな」

フィオーナはアルヴァンが私兵に襲われていると聞いて怯えた。自分がエリオスに陵辱されることよりも、彼の身に危険が迫っていることの方が恐ろしく感じたのだ。

……アルヴァン、お願い、無事でいて……！

——そう祈った時だった。

良く知る声が部屋にこだました。

「あいにくですが、あなたのたくらみはもうすでに知っていますし、私兵とやらは全部片付けました」

その声が聞こえた直後、壁に埋め込まれた姿見が開き、アルヴァンの姿が現れた。

「なっ!?」

オードウィン伯爵が仰天する。

「やれやれ、ここにちゃんと通じてくれて助かりました」

アルヴァンはそう言いながら後ろ手で姿見の扉を閉めると、ベッドに視線を向けた。

フィオーナの上でエリオスがにやりと笑う。

「遅かったな、アルヴァン。あやうくフィオーナ女王に手を出さなければならないところだったぞ」

アルヴァンは冷淡に返した。

「それはすみません。これでもなるべく早く来たのですけどね。それよりエリオス殿下。私のフィオーナからすぐに離れてください。私以外の男が彼女を組み敷いている姿を見る

のはとても不愉快です」

「それは、悪かったな」

エリオスは苦笑いをしながらあっさりとフィオーナの上からどいた。アルヴァンはベッドに近づき、ピクリとも動かないで横たわったままのフィオーナを見下ろす。フィオーナは怯えた。アルヴァンの表情が厳しいものだったからだ。けれど、その彼女の怯えを感じ取ったかのように、険のある表情がふっとやわらいだ。

「もう大丈夫ですよ、フィオーナ」

優しささえ感じられる声で囁くと、アルヴァンはフィオーナの裸体をシーツで覆いながらエリオスに尋ねた。

「痺れ薬ですか？」

「ああ、ジダリス系の薬に麻痺を起こすカワズの皮が混じっているやつらしい。ちょっと厄介だな」

「大丈夫です。時間はかかりますが何とかなります」

アルヴァンとエリオスは二人しか通じない専門用語をまじえて話をしていた。すべては理解できなかったが、フィオーナが嗅がされた薬のことについて話をしているのは分かった。

おそらくエリオスが先ほどフィオーナにキスをしたのは、嗅がされた薬の成分を判別するためだったのに違いない。それにより判別した成分をアルヴァンに伝えたのだ。

フィオーナは安堵した。これで確信が持てた。エリオスは味方だ。

「殿下？　殿下は一体なにを……!?」

わけが分からないのはオードウィン伯爵だろう。彼はエリオスが薬物に詳しいこともきっと知らないし、なぜこの状況下で二人が親しそうに、まるでそうするのが自然なようにやり取りしているのかが理解できないに違いない。

「殿下！　殿下は本国からフィオーナ女王の王配になるためにいらしたのでしょう!?　この男は敵ですぞ！」

けれどエリオスは一蹴した。

「煩い男だな。誰かに寄生しなければ生きていけないくせに」

「で、殿下……」

「言っておくが、私をフィオーナ女王の王配に仕立て上げたいのはシュバール国でも第一王子を擁する国務大臣の一派だけ。邪魔な私をシュバール国の王位から遠ざけ、ついでにダシュガル国を挑発したいのだろうさ」

エリオスはオードウィン伯爵を冷ややかに見つめた。

「私の敵は国務大臣一派と彼らが擁する第一王子、それに王妃の実家を含む第二王子派の連中だ。アルヴァンは敵じゃない」

「な、な、なっ」

「はっきり言っておこう。ダシュガル国が動きを見せない限りオクロット国の王配の問題には介入するな、放置せよというのが我が父シュバール王の意思だ。女王の夫の問題は火種のようなもの。ヘタに介入して戦端を開くことになってはこちらも困る。我々が望むのはただ一つ。現状を維持することだ」

「で、では殿下は何のために……？」

混乱するオードウィン伯爵をアルヴァンが冷笑する。

「外務大臣のくせにそんなことも分からないのですか。普通に考えて国民の人気があるエリオス殿下を煙たがって遠ざけるためだと分かるでしょうに。そして、彼がその思惑に乗ってやる必要はないんですよ。彼がここに来たのは別の理由だ」

「例えば、国務大臣の汚職の証拠を見つけるとか、な」

エリオスがにやりと笑うと、オードウィン伯爵が青ざめた。その汚職の一端に彼が絡んでいるからだ。

「まぁ、本当はとっくに掴んでいて、捕縛の秒読み段階なんだがな。しかし、念には念を入れて、生きた証人が欲しいと思っていたところだ。汚職の全貌を知っている、な」

エリオスの視線がオードウィン伯爵に刺さる。オードウィン伯爵は「ヒッ」と悲鳴をあげて扉に走りよって逃亡しようとした。ところが彼が扉に手をかける直前に、外からその扉が開き、兵士たちがどっとなだれ込んでくる。

アルヴァンに気を取られていたオードウィン伯爵は気づかなかったが、実はほんの少し前から、外では何か争っているような音がしていたのだ。

兵士たちがオードウィン伯爵を取り囲む。最後に扉から入ってきた警護団団長はオードウィン伯爵に冷ややかな目を向けた。

「レノア・セルノール、及びフィオーナ女王の拉致に加担したシュバール国の使者たちはすべて捕縛した。あとはお前だけだ、オードウィン伯爵」

それから団長は兵士に命じた。

「捕らえろ」

「はっ」

掛け声を合図に兵士が一斉に飛び掛かり、あっという間にオードウィン伯爵は捕縛され、その場から引っ立てられていった。

それをじっと見守っていたエリオスがベッドから足を下ろしながらアルヴァンに言う。

「フィオーナ女王の誘拐に関与した我が国の使者たちはほぼ全員国務大臣の回し者だから、こっちで調べが終わったらうちの方に送還してもらえないか。あいつらも第一王子一派の汚職の証拠兼証人になるんでな」

「分かりました」

アルヴァンは頷くと、フィオーナをそっと抱き上げながら、エリオスに視線を向ける。

「これであなたの目的は達成しましたか？　ならばさっさと帰国してもらいたいものですね」

「つれないな、相変わらず」

エリオスはクックックッとおかしそうに笑った。

「あれは俺の目的の一つに過ぎない。実はここに来た目的はもう一つある。お前の勧誘だ」

——勧誘？

フィオーナは彼らの話を聞きながら内心首を傾げた。

「まだ言っているのですか。そのことはとうにお断りしたはずです」

アルヴァンが呆れた口調になる。

「そう言うな。お前のその頭脳は惜しい。こんな小国でくすぶってないでシュバールに来い。俺ならお前を有効に使える」

フィオーナの心臓が一瞬止まり、次に早駆けを始める。

今、彼は何と？　勧誘とはそういう意味？　エリオスの目的はアルヴァンで、彼をシュバールに連れて行くつもりでこの国にやってきたということ？

彼を失うのかと思うとフィオーナの心は縮み上がった。けれど、アルヴァンはフィオーナを抱え、戸口に向かいながら言った。

「何度言われようとお断りします。私の仕えるべき主はここにいますので。どこにも行く気はありません」

——アルヴァン……！

「俺も簡単には諦めないぞ、アルヴァン」

そのエリオスの言葉を無視してアルヴァンはフィオーナの身体を抱きしめたまま貴賓室を出て行った。


貴賓室を出るとすぐにニナが気づき、駆け寄ってきた。

「姫様！　無事ですか！　ああっ、まさか遅かったとか!?」

ニナはシーツにくるまれたフィオーナが全裸であることにすぐ気づいて悲痛な声をあげた。それを制したのはアルヴァンだった。

「落ち着きなさいニナ。無事ですから。それよりフィオーナが嗅がされた薬を中和しなければなりません。今から言う原薬を私の部屋の薬箱から取ってきて、フィオーナの部屋に届けてください」

「え？　閣下の部屋にはまだ死体が……い、いいえ何でもありません。おっしゃるとおりにします！」

アルヴァンにジロリと睨まれたニナは慌てて手を振り、アルヴァンの言う薬をメモに書くや否や廊下を走り出す。

その姿を見送ったアルヴァンはフィオーナの耳に口を寄せてこっそりこう告げたのだった。

「実はオードウィン伯爵の手のものがレノアに近づいているのを知って、ニナに彼女の監視を頼んでいたのです。彼女なら侍女仲間からレノアの情報を引き出すのは楽ですからね。彼女はあなたへの恩返しだと危険な仕事であるのも承知で引き受けてくれました。今回のこともあなたが攫われた現場を見ていた彼女がすぐに私たちに知らせてくれたから対処できたのですよ」

――ニナが……！

フィオーナの目に涙が浮かんだ。

優しいフィオーナなら何をしても許してくれるだろうと、レノアは間違った思い込みをしていた。そしてフィオーナはそれを知っていて、アルヴァンに忠告までされていたのに、優しさを履き違え、彼女の歪みをどんどん大きくさせてしまった。

レノアがあんなふうに思ったのはフィオーナ自身のせいだ。

けれどニナはそんな中途半端な彼女の優しさにも感謝してくれ、助けてくれた。彼女の罪を許してよかったと、すべて間違っていたわけではないと思わせてくれた。

フィオーナこそニナに感謝するべきだろう。

フィオーナとアルヴァンがフィオーナの部屋に戻る頃には、城の中で異変が起きたことが徐々に伝わり始め、廊下にも夜着姿の人の姿がちらほらと見えるようになっていた。

「フィオーナ様……！」

アーニャも異変に気づいたうちの一人らしい。フィオーナの様子を見るために部屋に向かい、ベッドに彼女がいないことに気づいたのだろう。部屋の前でおろおろとしていたが、アルヴァンがフィオーナを抱えてやってくるのに気づくと駆け寄ってきた。

「フィオーナ様！　アルヴァン様！　一体何が……！」

「説明は後だ、アーニャ。フィオーナの着替えを用意してくれ」

そこにアルヴァンの部屋に行っていたニナが薬を抱えて戻ってきた。

「お待たせしました、閣下！　あ、アーニャさん！」

アルヴァンは薬をフィオーナの部屋の机に置かせると、ニナに再び指示した。

「ちょうどいい、ニナ。アーニャに説明を頼む。そして、アーニャ、ニナ」

アルヴァンは有無を言わせない口調で二人ににっこり笑いかけて命令した。

「今からフィオーナの部屋は朝まで立ち入り禁止です。決して戻ってこないでくださいね？」

恐れをなした二人が何度も頷いてフィオーナの部屋を後にすると、アルヴァンは内ポケットの中から琥珀色の瓶に入った薬を取り出した。

ベッドに横たわらせたフィオーナの頭をそっと持ち上げる彼の手はほんの少しだけ震え、その紫の瞳はいつになく揺れていた。

「この薬でもまだ完全に中和させるのは難しいですが、少しは効くはずです。盛られた薬に合った中和剤を調合するまではこれで……」

アルヴァンは薬を口に含むとフィオーナの口に唇を寄せて彼女の咥内にそれを流し込んだ。フィオーナの喉が上下し、薬を嚥下していく。その薬が喉を流れ落ち、胃に達する頃になると、フィオーナに変化が現れ始める。唇がパクパクと動き、目は瞬きを繰り返す。くるまれたシーツの中では白く繊細な指がピクピクと蠢いていた。

「ア……ル、ヴァン……」

フィオーナの口からかすれた声が漏れる。含んだ薬が少しではあるが薬の効果を打ち消しているのだ。

「フィオーナ……」

アルヴァンは彼女を包んだシーツごと抱きしめる。しばらくの間、彼はフィオーナの存在を確かめるように抱きしめて動かなかったが、やがて彼女の耳元で吐息とともに囁いた。

「フィオーナ、よかった。あなたが無事で……」

思えば彼がこんなに感情を露わにするのを見るのは初めてだ。フィオーナは嬉しくなった。

「大丈夫、です……すぐ、来てくださった、から……」

「でも怖かったでしょう。こんな無防備な姿にされて……」

その言葉でフィオーナは自分が全裸の姿をエリオスやオードウィン伯爵の前でもさらしたことを思い出して、恥ずかしさのあまり俯いた。しかも、レノアには秘められた部分にセンナの軟膏をたっぷり塗られてしまって……。

と、そこまで思い出した時、フィオーナは身体の疼きまで思い出してしまった。

じくじくと熱くなり疼きを発する蜜壷に、フィオーナは全身を赤く染める。

エリオス相手には我慢できたそれも、アルヴァンが相手だとまるで自制が利かなかった。

フィオーナは顔を真っ赤に染めながらアルヴァンに尋ねた。

「ア、アルヴァン、あの……センナの……軟膏を、その……中和する薬は、ありますか？」

あの痺れ薬を中和させる薬が作れるのなら、センナの軟膏も効能を中和する薬があると思ったのだ。ところが恥ずかしさを堪えてようやく尋ねたのに、アルヴァンはフィオーナの赤い顔と落ち着かない様子で彼女の状態を正確に読み取ってしまったらしい。

にやりと笑って彼女をくるんだシーツを解きながら、意地悪く尋ねる。

「我慢できないのですね、フィオーナ？　でも残念ながらあなたのその症状は薬が効き過ぎる体質のせいで強めに作用しているだけなのです。普通の人間には単なる痛み止めに過ぎない成分をどうこうできる薬は今はありません」

「そ、そんな……」

「とりあえず残っている軟膏をふき取りましょうか」

アルヴァンはフィオーナの身体から完全にシーツを取り去ってしまうと、膝を割って脚を開かせてその間に身を落ち着かせた。

「ああ、ですが、軟膏はあまり残っていないようですね」

フィオーナの脚の付け根を覗き込みながらアルヴァンは呟く。フィオーナは自分の秘められた場所を彼に覗き込まれていることに強い羞恥を感じた。じんじんと疼くそこはきっと蜜を溢れさせて、見るに堪えない状態だろうから。

「み、見ないで、ください」

フィオーナは恥ずかしさのあまり震える声で懇願した。けれど、アルヴァンは意地悪く笑うだけだ。

「でも見ないとどれほど奥まで塗られているか分からないですからね」

「そ、そんなの見る必要はないです！」

けれどその言葉を無視してアルヴァンは彼女の秘裂をじっと見つめてまるで独り言を呟くかのように言った。

「ああ、こんなに花弁が赤く腫れて。やはりこれは軟膏のせいでしょうか？」

「ひゃぁ！」

フィオーナの口から悲鳴があがった。アルヴァンの指が蜜壷をぐるりと取り囲む陰唇を手でなぞったのだ。

軟膏の影響でじくじくと熱を持っていたそこに触れられて、フィオーナは敏感に反応した。……反応、したはずだった。

ところが痺れ薬の影響でフィオーナの身体はほとんど動かせない状態だ。かろうじて動かせるのは指か口くらいしかない。反応も、これだけ感じているのに、身体を揺らしたり震えたりすることくらいしか自由が利かなかった。それがことのほか辛く感じた。

アルヴァンはフィオーナの花弁に触れ、蜜壷に指を一本差し入れる。

「んっ、はぁ、ん……」

「中もちゃんと探らないといけないですからね」

その言葉どおりに、アルヴァンは指を中で蠢かせながら、探っていく。けれどフィオーナの中はすでに彼によって拓かれ、もはや彼女の身体の中で触れられていないところなどない。内側も外側もだ。差し入れられた指は正確にフィオーナの感じる場所を探り当てていた。

「やぁ、そこ、駄目です、アルヴァン！」

フィオーナは嫌々と首を振ろうとした。だが頭は未だに動かせなかった。頭だけでなく腰も、中を探られますます官能が高まっているのに、動かすことができなかった。

「あ……は、あ……んっ、ぁ」

指が蠢くたびにフィオーナの口から喘ぎ声が漏れ、キリキリと絞られるように感覚が高まっていっていた。ところが、こんなに感じているのにフィオーナにはそれらの熱を逃がすことができなかった。

「や、あ、そこ、ばっかり！」

それまでなら、ぴくりと反応する腰や、シーツを掻く足、のけ反る背中などによって発散できていた熱が、今はすべて内側に篭もってしまい、彼女の中で渦巻いていく。

軟膏の効果と合わさって異常なくらい熱を帯びていた。

「あっ……や、んっ、あ、ん、はぁ、ああっ」

「フィオーナ。あなたの中、うねってすごいですよ」

くちゅくちゅと指で中を探りながらアルヴァンがイヤらしく笑う。

「この中に突っ込んだらきっとすごく気持ちいいのでしょうね……私が欲しいですか？　フィオーナ？」

「あ、は、欲しい……欲しいの……来て、ください」

朦朧としながら答えると、アルヴァンはくすっと笑った。

「ではあげましょう。軟膏のせいで中はこんなにできあがっているから、少しくらい激しくしても平気ですよね？」

アルヴァンはフィオーナの中から指を引き抜き、フィオーナの腰を引き寄せながら酷薄な笑みを浮かべた。

「ねぇフィオーナ。私は、本当は怒っているのですよ。秘密の通路を通って貴賓室に着いてみれば、あなたは全裸で他の男に組み敷かれていたのですから」

「……あ……」

フィオーナは貴賓室でエリオスにのしかかられたことを思い出し、ゾッとした。

「あなたのせいじゃないのは分かっています。何もなかったのだということも。……でも、二度とこんなことがないように、分からせてあげます。あなたが誰のものなのかを」

アルヴァンは片手でトラウザーズのボタンを外し、猛った肉茎を取り出すと、センナの軟膏で腫れぼったく膨らんだ花弁を先端でこじ開け、そのまま一気に奥まで貫いた。

「あっ、あ、あああああぁぁ！」

目の前を火花が散ったように感じた。フィオーナの自室に甘くて甲高い嬌声が響き渡る。

「くっ、やっぱりあなたの中はすごくいぃ……」

アルヴァンはフィオーナの腰を摑み、大きく脚を開かせると、濡れそぼった蜜壷をまるで攻めるように突き始めた。

「や、あ、あっ、激し……！」

ずんずんと奥を抉られて、響いてくる法悦の波に戦慄く。

フィオーナは自由にならない身体のせいでなす術もなく受け入れるしかなかった。嵐に揺れる木の葉のように揺さぶられ、一方的に揉みくちゃにされる。

フィオーナは全裸だが、アルヴァンは服を身につけたままで、激しく身体を打ち付けられるたびに内股に布が擦れて痛かった。

それでもセンナの軟膏やアルヴァンの愛撫によって高められた身体は、痛みすら容易に悦びに変換してしまうのだった。

「ふぁ……んっ、……ぁ……あ……ッ！」

揺さぶられ、喘ぎ声をひっきりなしに漏らしながら、けれどフィオーナは高まる淫悦と裏腹に、自分の中にどんどん悲しみも膨れ上がっていくのを感じていた。

——こんな一方通行は、嫌……。

涙が零れて眦《まなじり》を濡らしていく。生理的な涙ではなく、悲しみの涙だった。

それにようやく気づいたアルヴァンが驚いたように目を瞠り、フィオーナを苛む動きを止めた。

「フィオーナ？」

「こんなのは、こんなのは、嫌です。アルヴァン……」

フィオーナは言いながら泣き出した。それを見下ろしていたアルヴァンはふぅと大きく息を吐く。

「……すみません。フィオーナ。辛い目にあったばかりのあなたに、こんなことを。浅慮でした」

そう言ってアルヴァンはフィオーナの中から自分自身を引き抜こうとする。

「あっ、ち、違います、違うのです、アルヴァン。そうじゃなくて……！」

フィオーナは自由にならない身体をもどかしげにアルヴァンに押し付けながら言葉を選んだ。

「激しいのが嫌だとか、そういうのじゃないんです。むしろ激しくてもいいんです。アルヴァンが……私を求めてくれている証のようなものですから。嫌なのは……身体が動かないせいで、一方的に攻められることです。私だって、アルヴァンに触れたいのに！」

「フィオーナ？」

「だ、抱きしめられたら抱きしめ返したいのです。アルヴァンに触れたいし、あなたの喜ぶことをしてあげたいのです」

　言いながらフィオーナの頬に新たな涙が零れていく。

「だって、私があなたにあげられるものは私の身体ぐらいなのですから。あなたを繋ぎとめるものは……これくらいしか……」

「フィオーナ、待ちなさい」

「私、何でもしますから。あなたが望むなら持てるすべてを差し出していい。だから……どうか私から離れていかないでください……！」

　——ああ、動けないというのはなんてもどかしいのだろう。

　今自由に動けるのなら、彼にしがみついて決して離さないのに。

「フィオーナ。落ち着いて。あなたは何を言っているのですか？　私がどこへ行くというのです？」

　フィオーナはアルヴァンを見上げ、大粒の涙を零しながら答えた。

「だって、エリオス殿下が……あなたを欲しいって……。シュバールは大国で、あなたが求めていたものを差し出せる。でも……私には……これしか差し出せないから」

「……まったく、あの人はよけいなことを……」

　アルヴァンは舌打ちをすると、フィオーナを抱きしめたまま仰向けになった。そしてフィオーナと繋がったまま身体の上に彼女を乗せると、彼女の滑らかな背中からお尻のラインに向かって慰めるように撫でる。何度も、何度も。

られる気がした。

「……んっ……」

フィオーナは気持ちよさそうに吐息を漏らした。アルヴァンは服を着用したままだったので、素肌以上に心地いいとはいえなかったが、その手は優しく、フィオーナは心が慰められる気がした。

「愚かな青年の話をしましょう」

アルヴァンはフィオーナの背中を撫でながら話し始めた。

「その頃彼は……いいえ、私はほんの少し人よりできがいいというだけで、すべてのものを馬鹿にしていました。少し微笑んだだけで靡《なび》いてくる女も、見栄ばかり張りたがる男共も。自分の取り巻くものすべてが退屈で嫌いで、早くこの狭い国から出て行くんだ、もっと優れた人たちから学び、自分の能力を生かせる広い世界に行くんだと思っていました。ちょうどあなたの教育係をしていた頃のことです」

フィオーナは昔教育係をしていた頃の彼を思い出して小さく頷いた。確かに彼は意地悪だったし、自分より頭の悪い者をどこか馬鹿にしているようだった。

「父が私を次期宰相にしたがっていたのも知っていたし、周囲があなたの夫、つまり王配候補として期待しているのも知っていました。けれど、私にとってはそのどちらもが私をこの狭い世界に縛りつける煩わしいものでしかなかった。そんな時ですよ、父があなたの教育係をしろと言ってきたのは。その目であなたの人となりや取り巻く状況を見てこいと言われました。そして必要だと思うことをあなたに教えろと言われました」

　アルヴァンは当時、念願かなって北方の国に留学が決まって準備をしている最中だった。ところが宰相が出した留学への最後の条件が、直前までフィオーナの教育係をすることだったのだ。当然アルヴァンはこれに反発した。

　当時アルヴァンのフィオーナへの態度が悪かったのも当然だ。

「できの悪い生徒でごめんなさい……」

　彼はフィオーナのあまりの無知さにさぞやがっかりしたことだろう。

　アルヴァンは笑って首を振った。

「いいえ。あなたのできは悪くはありませんでした。問題があったのは陛下とあなたの周囲です。でもあなたは知らないなりに帝王学を学ぼうと一生懸命でした。そのあなたの素直さが私に自分の愚かさを教えてくれたのです」

「え？　私が？」

「はい。知らないことを認め、懸命に学び、自分のものにしようとしているあなたを見て、私は自分がどれほど偉いのかと自問するようになりました。私はあなたの無知を笑っていたけれど、私はたまたま勉学する機会に恵まれていただけ。それも、その知識すべてが誰かからの借り物です。自分が発見したり経験したりして得た経験ではないのです。そのことをあなたが私に気づかせてくれました」

「そんなたいそうなことをした覚えは……」

「でもそうなんですよ。思えば父はそれを見越して私をあなたの教育係に据えたのかもしれません。私に欠けたものを気づかせようとしていたのでしょう。あなたは確かに甘くて王になるには適さないですが……」

フィオーナはぎゅっと目をつぶった。

「……それ、前にもアルヴァンに言われましたよね。別れの挨拶の時に。それを聞いて、少しでもあなたに認められるようになろうと努力したのですが……やっぱり、私……」

「あの挨拶の時、確かにそう言いました。でもこうも言ったはずです。『お飾りの女王となったほうが、あなたが幸せだと思ったからでしょうね。でも陛下は知らないのです。あなたにはそれを補うほどの人を惹きつける力がある。あなたの優しさや懸命さや素直さに惹かれ、救われた人間が集まり、あなたが欠けているものを補うでしょう。私もです。あなたに厳しさや卑怯さが足りないのなら、私に代わりに補わせてください。そのために学んできます』と」

「え？」

フィオーナは驚きのあまり目を瞠った。彼はあの時、そんなことを言っていたのだろうか？

アルヴァンはフィオーナの反応に苦笑した。

「どうやら聞いていなかったようですね」

「ご、ごめんなさい」

確かにあの時フィオーナは最初にアルヴァンに言われたことにショックを受けて、その後の言葉が半分も耳に入っていなかった。きっとその時にアルヴァンはその言葉を言ってくれたのだろう。

——本当に私をそんなふうに見てくれていたの……？　至らないと思っていたのではなく？

フィオーナの目に涙が浮かんだ。けれどそれはさっきまでの悲しみに満ちたものではなかった。

「とにかく、私はあの時にはもう、あなたの補佐をするために宰相になることを決めていました。確かにエリオス殿下にはシュバールに来て自分が王位に就く手伝いをして欲しいと言われましたよ。でもシュバールは私が生きる場所ではありません」

「お、王位に？」

フィオーナは目を丸くした。エリオスは第三王子で、母親の身分が低いこともあって、王子の中ではもっとも王位から遠かったはずだ。

「そう、シュバールの王になることが彼の目標です。あそこの第一王子は軍籍に入っていることもあって戦争好き。第二王子は自分の母親である王妃の権力を笠に着ているだけの愚か者。ひいき目無しに彼が一番王に相応しいと思いますよ。シュバール王もそれを分かっていて彼に期待しているけど、自分の力で第一王子派と第二王子派を抑えて蹴落とせと突き放しています。だから今回の国務大臣に関連する汚職は絶好の機会なんですよ」

「そうだったのですか……」

だからエリオスは、第一王子派の国務大臣が彼を王位から遠ざけるために仕組んだ今回の計画に乗ったふりをしてわざわざオクロットまで来たのか。

……いや、でもきっとそれだけではないはずだ。アルヴァンの知識と能力が欲しいと思っていて再度勧誘するつもりで来たのだろう。

フィオーナは心臓がぎゅっと締め付けられる気がした。

「シュバールには行きませんよ」

アルヴァンはフィオーナの気持ちに気づいたように背中を撫でながら言った。

「ここにこうして欲しいものがあるのに、どうしてシュバールに行かなければならないのです？　エリオス殿下の……男の顔をみて過ごすより、あなたとこうして睦み合って過ごしたいと思うのはそんなに不思議なことですか？」

前にニナはアルヴァンがフィオーナを大切に思っていると言っていた。その時は信じ切れなかったが今は信じられる。彼の表情にも触れる手にも、彼女に対する確かな愛情が感じられた。それはきっとずっと前からそこにあったものに違いない。けれど、彼に嫌われていると思い込んでいたフィオーナは気づくことができなかったのだ。

「アルヴァン……」

「愛していますよ、フィオーナ」

はっきりと耳に届いた言葉に、フィオーナは身を震わせた。愛しさと嬉しさで心がいっぱいになる。

「私も、私も愛してます。教育係をしてくれたあの頃から、ずっと、ずっと……！　でも、私は、てっきり嫌われていると思っていて……ごめんなさい。避けてごめんなさい。気づかなくてごめんなさい」

フィオーナの目から涙が零れて、アルヴァンの上着を濡らしていく。アルヴァンは頭をあげてそんな彼女の濡れた頬に唇を押し当てた。

「私も謝らなければ。留学から帰ってきてあなたがあまりに私を避けるから、卑怯な手を使ってでも手に入れたいと思ってしまった。でも……方法は間違っていても、結果は後悔していません」

アルヴァンはそう言って、背中を撫で下ろし、フィオーナの白くて丸い双丘をぎゅっと摑むと、いきなり腰を突き上げた。

「あ、ああっ……！」

フィオーナの身体が大きく弾んで落ちていく。そこを再び突き上げられて、奥深くに叩きつけられた法悦の余韻にフィオーナの媚肉があやしく蠢く。フィオーナは涙を散らしながら嬌声をあげた。

「あっ、ぁ、あ、んぅ、ぁ、ん！」

突き上げられるたびに腰を強く押し付けられ、熱く蕩けた膣内を擦られフィオーナは何度も何度も襲いくる快感の嵐に翻弄された。

「後で、中和剤は作ってさし上げます。いくらでも触れてくれていいですよ、私もまだあなたを可愛がり足りないですしね。でも今はまず……」

「……あ、あ、あっ……ゃぁっ、ああっ！」

じゅぶじゅぶと二人の繋がったところから蜜が零れ、アルヴァンのトラウザーズを汚していく。けれどフィオーナは朦朧としてすでにそのことは頭になかった。

大きく揺さぶられ、薬のせいで熱を逃すことのできない身体はたやすく快感を拾い集める。

絶え間なく訪れる淫悦に全身が汗ばんだ頃、胎内を埋め尽くす膨れ上がったアルヴァンの肉茎がブルッと震えるのが分かった。

「中に出しますよ……全部、呑みなさい」

白く塗りつぶされていく思考の片隅で、避妊薬のことがふと浮かんだが、すぐに掻き消えた。もう避妊のことは考えなくて良いのだ。

「あ、あ、あっ……んあ！」

太くてゴツゴツした先端にごりっと感じる場所を抉られて、背筋を駆け上がる快感に、フィオーナはここが自分の部屋だということも忘れて高らかに喉を震わせた。

「――――あぁぁあああ！」

「っ……くっ……！」

次の瞬間、がつんと強く押し付けられた中で、一層膨らんだ怒張が弾け、ひくひくと蠢く膣内に熱い液体が打ち付けられる。

「あ、ぁ、はぁああ、っあ」

フィオーナはビクンビクンと身体を痙攣させて灼熱をすべて受け止めると、絶頂の余韻に震えたまま白い闇に落ちていった。

「あなたは私のものです、フィオーナ。その身体も、心も、未来も、すべて。逃れたいだなんて思わないでくださいね。でないと――」

遠くなっていく意識の中でそんなアルヴァンの声が聞こえた気がした。

＊＊＊

フィオーナはその後、半日どころか丸一日自室に閉じ込められることになった。

中和薬を作ってもらい、麻痺状態からは抜け出せたが、アルヴァンの腕の中からは抜け出せなかった。

そのくせ彼は、フィオーナがぐったりとして休んでいる間に、部屋から出てエリオスと話し、事後処理をしたり、他の大臣に説明したりといつも以上の能力を発揮して仕事もこなしていたらしい。

でももしかしたら、それは、大変な思いをしたフィオーナをこの件からなるべく遠ざけたいというアルヴァンの配慮だったのかもしれない。

フィオーナを裏切ったレノアと、今回のことを画策したオードウィン伯爵とその手下たち、それに今回のことに関わったシュバール国の使者たちの何人かは投獄された。

使者たちと伯爵は厳しい尋問ののちにシュバール国で裁判を受けることがすでに決まっている。残りの人物に関してもフィオーナが関知しないところで裁かれることになるだろう。

フィオーナは知らなかったが、レノアは最後まで「姫様に会わせて欲しい、優しい姫様ならきっと許してくれるはずだ」と繰り返していたのだという。

だが、再びフィオーナが傷つくことが分かっているアルヴァンがそれを許すはずはない。レノアのことを気にするフィオーナには「最大限考慮する」とだけ告げられ、それ以上関わることを禁じられてしまった。おそらくこちらも秘密裏に処理することになるだろう。

フィオーナはレノアのことを気にしながらも、女王としての業務に追われていた。

戴冠式のことも、結婚式のこともある。忙しい毎日だ。

事件のことは辛く悲しい思い出だが、喜ばしいこともあった。ニナがフィオーナの侍女に復帰することが決まったのだ。アーニャとニナ、それに新しく専属に決まった侍女たちのおかげで裏切られた辛い気持ちも薄れていくことだろう。

事件の事後処理が一段落した頃、エリオスがシュバールに帰国した。

「まぁ、またすぐ来ることになるだろう。戴冠式か結婚式には出席するつもりだからな」

見送りに出たフィオーナとアルヴァンにエリオスがそう言うと、アルヴァンは意味ありげに笑うのだった。

「もしかしたらそんな暇もないかもしれませんよ。最近仕入れた良い情報を殿下にお教えしましょう。第二王子の母親である王妃の実家ですが、ダシュガル国と黒い繋がりがありますよ」

「なんだと……？」

エリオスは血相を変えた。

「この事実があれば王妃とその実家ごと第二王子一派を黙らせられるでしょうね」

それからアルヴァンはエリオスの耳元に何事かを囁く。フィオーナには聞こえなかったが、二人の反応だとダシュガル国でも大物の貴族とどうやら後ろ暗い関係があるらしい。

「感謝する。これなら確実にあれらを黙らせられそうだ」

「御武運を」

「任せておけ」

エリオスは不敵に笑った後、アルヴァンをしげしげと見て苦笑した。

「しかし、お前の情報収集能力には恐れ入るな。よくそこまで調べ上げたもんだ」

「情報は命ですよ。何においてもね」

アルヴァンはさらっと答える。エリオスはスッと目を細めた。

「その情報力込みでやっぱり欲しいな。改めて言うけど、シュバールに来ないか？」

「またですか。……フィオーナ？」

エリオスの言葉を聞いたフィオーナはとっさに動いていた。アルヴァンの腕にしがみ付いてエリオスを睨みつける。

「アルヴァンは私のものです。渡しません」

これにはアルヴァンをはじめ、エリオスの従者やシュバールの大使、それに見送りに出ていた大臣たちを驚かせた。

「フィオーナ」

アルヴァンが嬉しそうに微笑んでフィオーナを抱きしめる。そんな二人を見てエリオスが盛大に笑った。

「アルヴァンのことになるとやっぱりまるで別人だな！」

エリオスの笑い声につられるように周囲の人々も笑い出し、その楽しそうな笑い声はしばらくの間絶えることはなかった。

＊＊＊

――天国のお父様。私は今とても幸せです。

「……あっ、んっ、あ、ああっ……！」

天蓋のついた豪奢なベッドに横になったフィオーナは、脚を大きく開き、背中を反らしながらアルヴァンの猛った肉茎を受け入れていった。トロトロに解けた蜜壷は嬉しそうに蜜を溢れさせながらその楔を奥へと呑み込んでいく。

「……フィオーナ……」

アルヴァンの熱い吐息が頬にかかる。

「アルヴァン……」

唇を開いてアルヴァンの舌を受け入れ濃厚なキスを交わしながら、フィオーナは離さないとばかりに手足を絡ませ彼にしっかりしがみついた。

律動が開始され、ベッドがギシギシと軋みをあげる。その音すらも、今のフィオーナには愛おしく感じられた。

「あっ、んん、ぁあ、あ、もっと、もっと……！」

共に揺れ動きながらフィオーナは高らかに嬌声をあげる。もう声を抑えたり、人目を忍んだりしなくていいのかと思うと嬉しくてならなかった。

拉致事件の直後、アルヴァンがフィオーナを自室に丸一日拘束したことから、二人がすでに閨を共にしていることは広く知られることとなった。けれどアルヴァンはすでにフィオーナの夫になることが決まった身であることから咎める声はどこからも上がらなかったようだ。

今まではフィオーナが秘密の通路を使ってアルヴァンの部屋へ通っていたが、人目を忍ぶ必要もなくなったことから最近ではもっぱらアルヴァンが彼女の部屋を訪れる。もちろん秘密の通路ではなく、堂々とだ。明け方までに帰る必要もなくなり、二人で朝を迎えることも多くなった。

アーニャもニナも、朝からフィオーナの寝所にアルヴァンがいることにすっかり慣れ、当たり前のように二人の世話をするようになっている。

「……フィオーナ。愛しています。誰よりも、何よりも」

激しく奥を穿ちながらアルヴァンが囁く。

「んっ、あ、あっ、私も、私も愛してます……！　ああ、アルヴァン！」

嬌声をあげながらフィオーナも応える。全身を駆け巡る淫悦に浸りながら。

やがて熱狂の時は過ぎ、アルヴァンの腕の中で心地よい疲労に身を委ねながら、フィオーナは愛し愛される幸せを噛みしめていた。

アルヴァンの裸の胸に頬をすりよせてその気持ちを伝える。

「脅迫されてあなたと身体を重ねていた時、私はあなたの腕の中を牢獄だと思っていたのです。甘美な牢獄だと。囚われ、抜け出せない檻だと」

アルヴァンはフィオーナの額に何度もキスを落としながら尋ねる。

「今は？」

フィオーナはキスの雨を受けながらうっとりと笑った。

「今もこの腕の中は甘い牢獄だわ。私を閉じ込めて離さない。でも、今は私が自ら囚われているんです。この腕の中が幸せだから」

「あなたの幸せは私の幸せです、フィオーナ」

アルヴァンはフィオーナを腕の中に抱きしめて、微笑んだ。

「永遠に抱き合っていましょう。二人きりで」

「はい」

フィオーナは目を閉じて彼の腕の中にいる幸せに酔いしれた。

エピローグ

その日は朝から晴れ渡っていた。

まるで天が二人の門出を祝っているかのように雲一つない青空のもと、戴冠したばかりの新女王フィオーナは集まった民衆に城のバルコニーから笑顔で手を振っていた。

人々は若く美しい女王の姿に心酔し、傍に控える青銀の髪の美しい青年がオクロットにこの人ありと言われた宰相であり女王の婚約者だと知ると、お似合いの二人を心から祝福した。

実際に二人が並んで立つ姿はまるで一対の芸術品のようだった。

城で舞踏会が開かれたその日に国王が亡くなるという不幸に見舞われたオクロットだが、その衝撃が過ぎ、政治に熱心で、優しく慈悲深い王女が即位したことは、人々に新しい未来を予感させるに十分なものだった。

「フィオーナ女王様、おめでとうございます！」

「新女王万歳！」

「女王陛下、万歳！」

人々の熱狂的な声はたちまち大合唱になり、いつまでもいつまでも空に響いていた。

その声に見送られながら、ようやく城の中に引っ込んだ後、塔の通路を歩きながらフィオーナはふぅと大きな息を吐いた。ところがその直後、立ちくらみに襲われ足がふらついてしまう。

周囲から悲鳴があがった。

「フィオーナ様！」

「危ない」

アルヴァンは素早く駆け寄りフィオーナの身体を抱きとめると、自分の身体に寄りかからせた。傍に控えていた侍従長や侍女長、それにアーニャとニナはほぅと安堵の息を吐いた。

「大丈夫ですか？」

自分の肩に頭をもたれかけたまま目をつぶっているフィオーナにアルヴァンはそっと心配そうに声をかける。フィオーナは目をあけ、青色の印象的な瞳をアルヴァンに向けると微笑んだ。

「はい。少し立ちくらみがしただけですから、もう大丈夫。ここ最近ずっと戴冠式の準備で目が回るほど忙しかったからだと思います」

「急かして申し訳ありません。でもその甲斐はあったと思います。聞こえますか、あの声が？」

外ではまだ「女王陛下万歳」の掛け声が響いていた。アルヴァンに促されるまでもなく、フィオーナの耳にもそれは届いている。

「国民はあなたという新しい女王の誕生を祝うこの時を心待ちにしていたのですよ」

フィオーナの父である前国王が崩御してまだ一か月も経っていなかった。すでに父王が亡くなった時点で即位し女王となっていたフィオーナだが、戴冠式はもっと後――混乱が収まり落ち着いた頃に行うつもりでいた。

ところがアルヴァンが戴冠式を早めに行うことを主張したのだった。混乱しているからこそ、戴冠式を早めに執り行った方が良いと。

それも一理あると、早めに執り行うことに決めたのだが、今はアルヴァンの意見に従ってよかったと思っている。

国民だけではない。フィオーナ自身もこうして王冠を頂くことでより決意を新たにしたのだから。

「アルヴァン。至らないところばかりの女王だけど、どうか傍にいて力を貸してください」

縋るように見上げると、アルヴァンは目を細めて笑った。

「もちろんです、フィオーナ。死ぬまであなたのお傍から離れません」

「ありがとう、アルヴァン」

――お父様。見ていて。アルヴァンと二人できっとこの国を守ってみせる。

アルヴァンの腕の中でそう心に誓っていると、彼が不意に言った。

「フィオーナ。私はこれから賓客のところへ挨拶に行ってまいります。あなたは控え室で少しお休みください」

「え？　挨拶なら私も共に……」

「いいえ。まだこの後にも晩餐会をはじめ行事が控えております。休める時に少しでも休んでおかないと」

アルヴァンはフィオーナの顎に手を添え顔をあげさせると、その額にキスをおとした。

「フィオーナ、あなたはもう一人の身体ではないのです。どうか身体をいたわってください」

「……はい」

フィオーナは頬を染めながら素直に頷いた。アルヴァンは微笑み、再びフィオーナの額に唇を押し当てると、傍に控えていた侍女二人に視線を向けた。

「アーニャ、ニナ。彼女を頼みましたよ」

「はい。閣下」

「お任せください。さぁフィオーナ様、こちらです」

アルヴァンは二人にフィオーナを委ねると塔を出て賓客の部屋がある居館に足を向けた。

ところが、その途中、中庭の一角で足を止める。

しゃがみ込んでそれを見つめていると、居館の方から一人の男が近づいてくるのが分かった。

「そこに生えているのはセンナじゃないか。こんなところにもあるとはね」

彼はアルヴァンが見ているものに気づいて軽く目を瞠った。その小さな花をつける草花は配置を計算されて作り出される城の庭にはいささか似つかわしくない野草の類だった。

「これは近くの森からフィオーナが採ってきて植えたものです」

アルヴァンはそう答えながら立ち上がり、男の方を向いた。

「エリオス殿下。このたびは女王の戴冠式に駆けつけてくださり、ありがとうございました」

そう挨拶して頭を下げた後、エリオスに笑顔を向ける。

「正直、あなたが来てくださるとは思いませんでした。かなり忙しい身だとお聞きしておりましたので」

「そうでもないさ」

「ご謙遜を」

オードウィン伯爵の事件の後、帰国したエリオスはシュバール国の宮廷を激震させることになる粛清と大編成の嵐に身を投じることになった。

アルヴァンが渡した情報と彼自身が今まで集めてきた証拠を以て国務大臣やその犯罪に加担したものを次々と投獄していった。これにより第一王子一派は壊滅的なダメージを負った。

続いて第二王子の祖父にあたる公爵がダシュガル国のとある貴族と通じてシュバール国の情報を流していた事実が明るみに出て、第二王子派も勢いを失った。

そこで一躍王位継承争いのトップに出たのが、人格者として国民の人気も高い第三王子のエリオスだ。

正式な立太子の儀はまだだが、その報告も近いものとアルヴァンは見ている。

「お前の望みが叶うのをこの目で確かめるためなら、何はさておき駆けつけるさ」

エリオスはにやっと笑った。

「私の望みはとっくに叶っていますが？」

アルヴァンは眉をあげる。彼の望みはフィオーナを手に入れることだった。その意味なら、オードウィン伯爵の事件の後、気持ちを確かめ合った時点で叶っているといえよう。

彼の言葉を聞いてエリオスは笑った。

「訂正しよう。お前の書いたシナリオが完結するのを見届けに来た、だな」

「完結、ですか？」

「ああ」

頷いた後、不意に笑みを消してエリオスはアルヴァンに尋ねた。

「薬学を学んだ教授を覚えているだろう？　彼は薬学の権威で、新しい薬をどんどん開発していく天才でもあった。そして自分が発見した知識を惜しみなく我々弟子にも伝授してくれた」

「ええ、もちろん覚えています。恩師の一人ですから」

アルヴァンは懐かしそうに目を細めて微笑む。彼にはエリオスの話がどこへ向かうのか分かっていた。

「お前が調合してフィオーナ王女に渡していた前国王の喘息を抑える薬も、彼が発見したものだった」

「はい。そうです。あの薬は大変よく効きました。おかげで陛下は発作を起こすこともなくなりましたから」

「そうだろうな。彼の開発する薬は優れたものばかりだ」

エリオスの顔にもちらりと微笑みが浮かんだが、すぐに真顔に戻った。

「彼は新しい薬を開発するにも熱心だったが、同時にその薬の副作用も研究のテーマにしていた。我々に薬の配合を教え、実際に作らせながらその薬が持つ副作用も教えてくれた」

「ええ」

「あの喘息に効く薬――あれにも確か副作用があった」

「……」

「長期にわたって服用すると心臓が弱ってしまうんだったな」

そう言ってエリオスは自分の左胸を親指で指し示す。

「それゆえに継続して使用する時は注意が必要だ——教授はそう言っていた。覚えているか、アルヴァン？」

アルヴァンは微笑んだまま答えた。

「ええもちろん。それが何か？」

あくまでとぼけるアルヴァンに、エリオスはくっくっと笑った。

「まぁ、お前にとっては、あくまで外国の王族から婿を迎えようとする前国王は邪魔者でしかないものな」

エリオスの口調は詰問するわけでも責めているわけでもなかった。彼はただ確認したかっただけなのだろう。

アルヴァンはふぅと小さく息を吐いた。

「薬を使って私が陛下を殺そうとしたのではないかと疑っているようですが、そのような不確かな方法に頼らずとも、もっと簡単で確実な方法はいくらでもあるじゃないですか。あなたの思い込みですよ」

「確かに、お前が前国王を確実に殺そうと思ったら、こんな手段は取らないだろうと私も思う。それでも、前国王の病気はお前の介入があったと確信している」

「違うと言っているのに。……でも、もしそうだったとしたら、あなたはどうします？」

アルヴァンは謎の笑みを浮かべながらエリオスに尋ねた。

「私？」

エリオスは目を丸くした。その質問は意外だったらしい。けれど、彼はすぐににやりと笑って答えた。

「別にどうするつもりはない。お前が前国王を謀殺しようがどうでもいいんだ、私は。むしろ前国王よりお前が王配となってくれた方が、話が通りやすいと思っている」

自分の都合のためなら一国の王の殺人も黙認するとあっさり告げるエリオス。その残酷なまでの現実主義の面を知る人間は少ない。

「話が早くて助かります」

実のところアルヴァンも似たような考え方をするので、彼とは馬が合うのだろう。

アルヴァンにとっても話が通じやすいエリオスがシュバールの王位についてくれた方がいろいろと都合がよいのだ。だからこそ、彼がどんな手段でのし上がろうと構わなかった。きっとエリオスもそう判断したのだろう。

エリオスはフィオーナがいる塔の方にちらりと目を向けた。

「しかし、フィオーナ女王はどうだろう？　もし自分が手渡していた薬が父親の命を奪ったのだと知ったら、心優しい彼女はかなり苦しむんじゃないか？」

「ええ。もし仮にそうだとしたら彼女ならきっと苦しむでしょうね」

どことなく楽しげな響きさえ帯びているアルヴァンの口調に、エリオスはハッと振り返る。そこで彼が目にしたのは、艶麗な笑みを浮かべたアルヴァンだった。

「罪の意識に囚われて、きっと心を壊してしまうでしょうね」

「……なるほど、最終的にはそれが目的か？　そうまでして彼女を己に縛りたいのか」

エリオスは深いため息を吐く。

「お前は……彼女に狂っているのだな」

「狂っている？　いいえ、違います。フィオーナに狂っていたのは、陛下——前国王陛下の方ですよ」

「何だと？」

思いもかけない人物の名が出てきてエリオスは眉をあげた。

「前国王がか？　だがフィオーナは自分の娘だろう？」

「もちろん、恋愛感情とは違います。けれど、別の意味であの方は娘に執着していましたよ。最愛の妻によく似た娘を象牙の台に乗せ、一切の危険から遠ざけ、汚濁を近づけさせず、無垢な人形のまま囲おうとしていました」

アルヴァンは足元にある小さな可憐な花をつける草花を見下ろした。

場所を移しても逞しく繁殖する野生の草花と違い、フィオーナは鉢《はち》で大切に育てられた大輪の花のようなものだ。土が変わればすぐに枯れてしまう。手入れを必要とし、大切にされてこそ美しく咲き誇る花だった——かつては。

その花は今はアルヴァンによって散らされ、すでに違う土に移し変えられ、彼という養分でしか育たない花になっている。もう以前の鉢には戻れないし、必要ないのだ。

かつての主君を思い出し、アルヴァンの口元が弧を描いた。

「陛下にとっては国と国民は二の次で、フィオーナだけが大事だったのです。オードウィン伯爵と違い、陛下はフィオーナの結婚相手に大国の王族を迎えることの危険性を十分分かっていらした。ここが戦場になるかもしれないことも、民が殺され、国も滅ぶ可能性があることも分かっていていてあえてその道を選ぼうとしていました。彼女の平穏と国とを秤《はかり》にかけて、国王でありながら、迷うことなくフィオーナを取ったんですよ。これが狂っていなくて何だというのです？」

エリオスは苦笑して頷いた。

「……なるほど、理解した。確かに狂人は一人で十分だな。共存はできまい」

「ええ。そういうことです」

アルヴァンはにっこり笑った。

宰相に就任してからアルヴァンはフィオーナに対する執着を表に出すことは避けてきた。あくまで宰相か元教育係としての接触に限定し、国王の目から自分の気持ちを慎重に隠し通してきたのだ。でなければ、アルヴァンの執着を嗅ぎとったとたん、国王は彼を即刻排除していただろう。

――そう、エリオスの言っていることは正しい。フィオーナに狂っている人間は一人だけで十分だ。

「殿下！　ここにいらしたのですか！　駄目じゃないですか、ふらふらと出歩いては！」

居館の方から声がして、振り向くとエリオスの従者らしい若者が慌てて走ってくるのが見えた。どうやらエリオスは誰にも告げずに勝手に部屋を出てきたらしい。

　エリオスは肩をすくめ、アルヴァンに言った。

「あいつが煩いので、私は部屋へ戻るとしよう。また後でな、アルヴァン」

「はい。また後ほどお会いしましょう。その時はフィオーナと一緒にご挨拶させていただきます」

「ああ」

　アルヴァンはエリオスが従者の方に足を向け、やがて共に居館の中に消えていくのを見守った。

　庭に静寂が戻る。アルヴァンは再び足元の花を見下ろして呟いた。

「私の勝ちですね、陛下」

　フィオーナの求めに応じて渡し続けていた薬は一種の賭けのようなものだった。副作用が出ればフィオーナに対する枷《かせ》が一つ増える。そう考えたのが始まりだ。

　……顔を背けてばかりで、決して自分の方を見てくれない愛しくて憎い女性。彼女が罪の意識に苦しみ、悲嘆に暮れ、やがて静かに壊れていく姿が見たいと思った。自分を見ないならば誰もその瞳に映させるものかと考えた。

　自分の宰相としての価値を利用しようと思いつかなければ、きっと早々に彼女を壊していたことだろう。

「脅迫して身体を差し出させたのは、これでもかなりソフトなやり方だったんですよ、フィオーナ」

でなければ彼女を攫って閉じ込めていた。そして薬を用いて心を壊しながら快楽に堕とし、アルヴァンだけしか見ない性の奴隷人形に仕立て上げたことだろう。

賭けに勝ち、国王に副作用が出始めたからこそ、アルヴァンは今の方法に切り替えたのだ。

「あなたは私のものですよ、フィオーナ。私を捕らえ、あなたとこの国に縛りつけたのだから、あなたにも相応のものを差し出してもらわなければ割に合わないでしょう？」

彼女は思いもしないだろう。だが、最初にフィオーナという甘い牢獄に囚われたのはアルヴァンの方が先なのだ。

彼はかつて狭くてしがらみだらけのこの国を離れるつもりだった。もっと広い世界に旅立ち、自分の能力をもっと生かせる場所に行きたいと考えていた。

そんな彼を捕らえ、呪縛《じゅばく》したのは無垢なる王女の存在だ。

――『私にはあなたの助けが必要なのです』

――『戻ってきてください。この国を、私を見捨てないでください』

彼女に引きとめられ、囚われ、繋がれ、アルヴァンは飛び立てなくなった。

留学先から祖国へ帰る直前のエリオスの誘いはかつての彼だったら願ってもいないことだっただろう。大国で自分の能力を存分に生かして彼を王位に押し上げる。それは何と心躍る挑戦だったことか。けれど、フィオーナという枷に繋がれたアルヴァンの心にはもはや魅惑的には思えなかった。だから、断り、オクロットに戻ってきた。

――なのに。

「あなたが悪いのですよ。私を捕らえてこの地に縛りつけたくせに、私の顔を見ようともしないなんて」

アルヴァンは屈みこみ、センナの花をその手で摘み取りながら呟く。

フィオーナの願いに応じてオクロットに戻ってきたことを後悔したことはない。けれど、彼を捕らえて枷を嵌めた当の本人に避けられ始めた時、彼の中で何かが歪んだ。フィオーナにしてみれば、覚えてもいない些細なことだったかもしれない。けれど、顔を背けられるたび、歪みは劣情を伴ってどんどん大きくなっていった。もはや彼自身にも止められないし、止めようとも思わない。

なぜならその枷はフィオーナに繋がっているからだ。

フィオーナはアルヴァンの腕の中を甘い牢獄だと言った。けれど、フィオーナの腕こそがアルヴァンを閉じ込める甘美な牢獄だ。彼はそこで彼女という鎖で繋がれ、逃げ出すことはできない。だから彼女もその甘い牢獄に引き込んだ。

彼の望みはその甘美な牢獄で互いが互いを縛り合い、枷になることだ。アルヴァンはフィオーナを縛りつけ、フィオーナはアルヴァンを戒め続ける。お互いの存在で。そこには他に何者も存在しない。

「でも、もし、フィオーナ、あなたがその牢獄から逃れたいと望んだら……その時は

「――」

――あなたの心を壊すことにしましょう。

アルヴァンはそう心の中で呟いてうっすら笑った。

「あなたが運び毎朝飲むように促していた薬が陛下の命を奪ったのだと知ったら、フィオーナ。優しいあなたはどう感じるでしょうね？」

きっと罪の意識に苛まれるだろう。でも、優しく慈悲深い彼女は副作用のことを黙っていたアルヴァンを決して恨むことも憎むこともなく、自分だけを責め続けるだろう。そして静かに徐々にその心を壊していく。

「心を壊したあなたもきっと美しいでしょう」

フィオーナの身体は快楽によってすでにアルヴァンの手に堕ちている。心が壊れても、彼女は彼から離れることはできない。彼だけを見て、彼だけに縋って生きていく人形になる。あの笑みを向けられるのもアルヴァンだけ。

それは何と甘美で歪んだ世界だろう。けれどアルヴァンはそれに惹かれずにはいられなかった。

「だから、フィオーナ。決してその甘い牢獄から、私から、逃れようとは考えないで」

……この歪んだ心がそれを望まないように。

そう一人ごちた後、アルヴァンはくすくすと笑った。

「まぁ、でもしばらくは壊すのはやめましょうね。大事な時期ですから、労らないと」

それから彼はセンナの花をいくつか摘みあげると大事そうに紙に包んだ。センナの花は鎮痛作用があることで有名な草花だが、その花びらを乾燥させてお茶に混ぜて煎じて飲むと、つわりを軽減させる働きがあるといわれていた。

アルヴァンはこの花を摘むつもりで庭に出てきたのだ。

「フィオーナ。これでまたあなたを縛る新たな枷ができましたよ」

笑いが止まらなかった。

その新たな枷は同時にアルヴァンをも縛る枷となるが、彼は構わなかった。枷は多ければ多いほどいい。

彼は笑いながら立ち上がり、手にしている花を包んだ紙を上着の内ポケットに仕舞おうとした。その時、内ポケットに入れていた別の薬のことを思い出し、それを取り出して手のひらにのせる。

それは小さな白い紙に包まれた薬で、フィオーナが毎晩アルヴァンの部屋を訪れる前に飲んでいる避妊薬だった。

アルヴァンはそれを見下ろして呟く。

「これももう必要ありませんね」

フィオーナがアルヴァンと身体を重ねるようになってから数か月が経っている。その間、フィオーナに月のものが訪れたのは、最初の頃の一回だけだ。エリオスの訪問、それに続いて父王の崩御と、いろいろな出来事が重なったため、フィオーナは自分の身体の変調には気づいていないようだが。

先ほどフィオーナが立ちくらみを起こしたことを思い出してアルヴァンはにやりと笑う。

きっと気づくのも時間の問題だ。

――ああ、その時がとても楽しみだ。一体彼女はどんな反応を示すだろう？

彼は手のひらにのせた薬の袋を摘み上げて丁寧に折りたたまれた紙を開き始めた。中から自ら調合した白い粉が現れ、日の光に照らされてキラキラ輝いている。

「フィオーナ。これが避妊薬などではなく、単なる滋養剤だと知ったら、あなたはきっと怒るでしょうね」

アルヴァンに騙され、毎日のように胎内に注がれた子種がとっくに実を結んでいたことを知ったら。

けれど、その怒りはきっと長続きしない。優しい彼女は仕方ないと笑ってアルヴァンをあっさり許すだろう。

「だからあなたは甘いというのです。ですからこうして私などに騙されて孕まされる」

けれどそんな甘さを彼は愛してやまないのだ。あの甘さも、優しさも、気高さも、無垢さも。すべてが愛おしくて……汚して壊したくなる。己に縛りつけて離さないために。

アルヴァンは偽の避妊薬が入った袋を振って中身を空にばら撒いた。白い粉はキラキラと光を反射しながら空を舞い、やがて地面に落ちて消えていく。

それを見届けたアルヴァンは最愛の女性のもとへ戻るべく歩き始めるのだった。

あとがき

初めましての方も再びの方もこんにちは。拙作をお手にとっていただいてありがとうございます。富樫聖夜《とがしせいや》です。

前回出させていただいた『軍服の渇愛』が執着薄めでわりと明るい感じの話（のつもり）だったので、今回の話はシリアス&ダーク路線にしました。

ヒロインは小さな国の王女様。ヒーローはその国の若き宰相。二人の身分の差はあまりなく、それどころかヒーローは王女様の婿候補でもあるので、手に届く位置にお互いいるところからスタートする話です。これから本文を読む方はそれを踏まえて誤解と思い込みからこじれていく二人をじれったく思いながら読んでみてください。

さて、今回のヒロイン、フィオーナは一国のお姫様です。私の書くお姫様は義務を弁《わきま》えているしっかり者か、もしくは反対にわがままお姫様のどちらかが多いですが、フィオーナはそのどちらでもありません。無垢で優しくて、周囲に愛され守られて育ったため、人に厳しくできない性格です。人の心の機微にもあまり敏《さと》くはありません。だからこそ誤解し、誤解されてしまうわけですが……。ただ、このカップルは本編では色々すれ違っていますが、出会うことによって影響されて、お互いに人間的な深みが出るという関係性です。足りない部分を補い合ってもいるので、やっぱり行き着くところは互いの腕の中。そんな感じで書かせていただきました。

ヒーローのアルヴァンはヒロインに仕えるべき立場なので、自然と敬語キャラになりました。色々とこじらせまくっているのでかなりフィオーナに対して鬼畜です（特にRシーンが）。ただ、こういうタイプはぐいぐい話を引っ張ってくれるので、とても書きやすかったです。特にエリオス殿下との会話は腹に一物《いちもつ》ある者同士の会話ということで、楽しんで書かせていただきました。何だかんだ言っても仲が良い二人です。

イラストのCiel様。色々とご迷惑をおかけしてすみません。とても素敵なイラストをありがとうございました！　冷酷そうなアルヴァンと無垢なフィオーナのラフを見て萌え転げました。

最後に編集のY様。毎回毎回ご迷惑をおかけして本当すみません。今回も何とか書き上げることができたのもY様のおかげです。ありがとうございました！

それではいつかまたお目にかかれることを願って。

富樫聖夜

この本を読んでのご意見・ご感想をお待ちしております。

◆ あて先 ◆

〒101-0051
東京都千代田区神田神保町2-4-7 久月神田ビル7階
㈱イースト・プレス　ソーニャ文庫編集部
富樫聖夜先生／ Ciel先生

二人《ふたり》だけの牢獄《ろうごく》

2015年4月4日　第1刷発行

著　者　富樫聖夜《とがしせいや》
イラスト　Ciel《シエル》

装　丁　imagejack.inc
D T P　松井和彌
編　集　安本千恵子
営　業　雨宮吉雄、明田陽子
発行人　堅田浩二
発行所　株式会社イースト・プレス
〒101-0051
東京都千代田区神田神保町2-4-7 久月神田ビル8階
TEL 03-5213-4700　　FAX 03-5213-4701
印刷所　中央精版印刷株式会社

ISBN 978-4-7816-9550-1
定価はカバーに表示してあります。